D1108956

Zu diesem Buch

Wolf Schneider ist eine Instanz in Sachen Sprach- und Stillehre. In seinem neuesten Buch hat der Bestseller-Autor den Umgang mit der deutschen Sprache auf 50 Regeln systematisch verdichtet. Ein Deutschkurs, insbesondere für Schreiber, aber auch für Leser und alle, für die das Lernen nach der Schule nicht aufhört.

Der Autor

Wolf Schneider, Jahrgang 1925, leitet seit ihrer Gründung 1979 die Hamburger Journalistenschule. Er war Korrespondent der SÜDDEUTSCHEN ZEITUNG in Washington, Chefredakteur der WELT, Moderator der NDR-Talkshow. Schneider hat 15 Sachbücher geschrieben, darunter «Wörter machen Leute», «Deutsch für Kenner» und «Unsere tägliche Desinformation». In der NEUEN ZÜRCHER ZEITUNG erscheint regelmäßig seine Sprachkolumne.

Die Gesellschaft für deutsche Sprache e.V. hat Wolf Schneider 1994 mit dem «Medienpreis für Sprachkultur» ausgezeichnet.

Wolf Schneider

Deutsch fürs Leben

Was die Schule zu lehren vergaß

Rowohlt

17.–23. Tausend September 1994

Originalausgabe
Veröffentlicht im Rowohlt Taschenbuch Verlag GmbH,
Reinbek bei Hamburg, Juni 1994

Umschlaggestaltung Susanne Müller
Satz Sabon (Linotronic 500)
Gesamtherstellung Clausen & Bosse, Leck
Printed in Germany
1690-ISBN 3 499 19695 6

Inhalt

Die richtigen Reize 151

Der richtige Anfang 169

Was tun, wenn man gelesen werden möchte?

Wenn einer etwas nicht lesen mag, was ein anderer für ihn geschrieben hat – wer ist dann schuld: der Leser oder der Schreiber? Wenn ich mich über den Brief einer Behörde ärgere, eine Gebrauchsanweisung nicht verstehe, einen Roman gelangweilt zur Seite lege – soll *ich* dann dazulernen oder der Mensch, der das geschrieben hat?

Einerseits muß natürlich jeder *lesen* lernen: nicht nur buchstabieren wie das Schulkind, sondern auch mit Texten umgehen, die einige Ansprüche an das Mitdenken stellen. Dies betrachten die Deutschlehrer als zentrale Aufgabe, und die «Stiftung Lesen» unterstützt sie darin: Unter der Schirmherrschaft des Bundespräsidenten und finanziert von einem Stifterrat aus Bundesländern, Buchverlagen und Industrie, will sie Kinder zu besserem Lesen erziehen und ihnen Lesespaß vermitteln.

Andererseits muß man die Frage stellen, ob nicht auch und vor allem *die Schreiber* erzogen werden sollten. Das Schwergewicht des Deutschunterrichts an unseren Schulen liegt darauf, erstens den Kindern die deutsche Grammatik beizubringen und sie zweitens für jene Mühe zu gewinnen, ohne die sich viele grammatisch makellose Texte nicht erschließen lassen; nur wenige Lehrer versuchen das Umgekehrte: den Schülern darüber hinaus eine Technik des Schreibens zu vermitteln, die ihren Lesern eben diese Mühe ersparen würde.

Einer muß sich nämlich immer plagen, wenn Verständigung zustande kommen soll: der Schreiber oder der Leser. Daß die meisten Deutschlehrer überwiegend oder ausschließlich die Plage des Lesens lehren, ist anfechtbar und ärgerlich. Und auch von der «Stiftung Lesen» würde man sich wünschen, daß irgendwo in ihren Statuten oder Publikationen wenigstens einmal ein Satz vorkäme wie dieser: «Wir lehren nur das Lesen, aber wir übersehen nicht, daß den Lesern großenteils Texte zugemutet werden, die die mangelnde Erziehung des Schreibers verraten.»

Doch nichts dergleichen findet sich. Dabei hätte die «Stiftung Lesen» dramatisch weniger zu tun, wenn es eine «Stiftung Schreiben» gäbe; ja, sie muß sich fragen lassen, ob es nicht in Briefen, Verlautbarungen, Zeitungen und Büchern von Texten wimmelt, die jeder Leser beherzt an den Schreiber zurückverweisen sollte, statt sich um ihre Entschlüsselung zu bemühen – was schließlich das Risiko enthält, dabei auch noch den eigenen Stil zu verderben.

Was drischt da nicht alles auf uns ein an Behördenjargon, Wissenschaftschinesisch und kunstreich verknäulten Sätzen, zu deren Entwirrung mehrfarbige Kugelschreiber hilfreich wären! Erstaunlich viele Wortproduzenten wollen gar nicht verstanden werden (ein verbreitetes Experten-Verhalten, Regel **6**). Noch größer ist die Zahl der Berufsschreiber, die sich für ihre Leser oder Hörer nicht interessieren – das typische Verhalten von Journalisten in saturierten Abonnementszeitungen und im öffentlich-rechtlichen Rundfunk.

Ganz viele unserer Mitmenschen aber wollen durchaus Briefe, Artikel, Bücher produzieren, von denen sie wünschen, daß ihre Leser sie mögen; Briefe zum Beispiel, die einem Personalchef gefallen, eine Geschäftsbeziehung anbahnen oder eine Meinung verändern sollen. Aber niemand hat ihnen nahegebracht, wie ein Text beschaffen sein muß, den der Adressat verstehen kann und lesen möchte.

Dieses Buch versucht die Lücke zu schließen – so lange, bis es eine «Stiftung Schreiben» gibt. Es will, genauer, dreierlei: erstens, die Schreiber für die Einsicht gewinnen, daß sie es sind, die die Plage auf sich nehmen sollten; zweitens, ihnen klarmachen, daß dies im Zeitalter des Fernsehens, der Videoclips und der Computerspiele ungleich mehr Mühe, Grips und Phantasie erfordert als noch vor dreißig Jahren; drittens, ihnen das Werkzeug für jene Art des Schreibens an die Hand geben, die das Lesevergnügen nach sich zieht.

Das ist eine Botschaft an alle, die heute noch aufs Gelesenwerden angewiesen sind: an Journalisten, Werbetexter, Öffentlichkeitsarbeiter, die Verfasser von Gebrauchsanweisungen, die Absender von Geschäfts- und Bewerbungsbriefen. Sollten sich gar die Deutschlehrer für das Buch interessieren, so wäre das meiste gewonnen: In ihrer

Hand läge es, zusammen mit der Freude am Lesen die Freude am leserfreundlichen Schreiben zu wecken und die Rezepte dafür zu vermitteln.

Eile ist geboten: Erschreckend steigt die Zahl der jungen Leute, die noch nie freiwillig ein Sachbuch oder ein Stück Literatur in die Hand genommen haben. Den Zeitungen bröckeln die jungen Leser weg. Das geschriebene Wort kämpft ums Überleben.

Was also tun? Sind unsere Zeitungen zu dick, ihre Texte zu lang, unsere Prospekte zu gespreizt, unsere Briefe zu langweilig? Darf man sich so verhalten, als gäbe es sie noch, die stillen Abende am Kachelofen oder am Kamin, die nach tausend Seiten Tolstoi oder Dickens riefen? Was sind die Kriterien eines verständlichen Textes (referiert an Hand der Ergebnisse der Verständlichkeitsforschung, einer exakten Wissenschaft, von der kurioserweise die wenigsten Schreiber Kenntnis genommen haben)?

Verständlichkeit ist jedoch nicht alles, sie kulminiert in der Gebrauchsanweisung für einen Feuerlöscher. Was muß dazukommen, um einen Text *attraktiv* zu machen? Wie schreibt man Sätze, die ihren Zweck auf dem kürzesten Weg erreichen, ohne unverständlich, mißverständlich oder wirkungslos zu sein? Wie nimmt man den Leser an die Hand, damit er sich nicht verirrt in jenem Wort-Morast, der so oft entsteht, wenn die gute Absicht nicht weiß, wie sie sich realisieren soll? Durch welche sprachlichen Mittel kann man aus einem halbinteressierten Blätterer einen Leser mit roten Ohren machen?

Rezepte also werden hier angeboten für eine Sprache, die zugleich verständlich und attraktiv ist. «Rezepte», ganz wörtlich genommen: In «Deutsch für Profis» und «Deutsch für Kenner» habe ich die Einsicht der Wissenschaft und die Forderungen an eingängiges Deutsch nur halbsystematisch dargeboten; hier sind sie zu Regeln verdichtet, gleichsam zu Tagesportionen für den, der lernen will; angereichert mit frischen Beispielen, Übungstexten und den jüngsten Erkenntnissen der Verständlichkeitsforscher.

In der Form – in seiner strikten Übersichtlichkeit und seiner hoffentlich durchweg anschaulichen Sprache – versucht dieses Buch, seinerseits ein Modell für leserfreundliches Schreiben zu sein. Seinen Lesern wird gleichwohl einiges zugemutet: nämlich umzulernen, auch wenn das mühsam ist – falls sie denn schreiben und ihrerseits gelesen werden wollen.

Und allen Leser sollten wir also nach dem Munde reden, selbst wenn sie faul oder ungebildet sind, am Ende mit immer simpleren Wörtern in immer kürzeren Sätzen, Verständlichkeit um jeden Preis? Solche Einwände werden gern erhoben gegen eine Stillehre wie diese. Doch sie verkennen das Ziel. Ja, Luther hat dem Volk aufs Maul geschaut – aber dann so geschrieben, daß das Volk ihm aufs Maul schaute. Die kraftvolle Sprache, die alle verstehen können und die auch der Professor lesen mag: Luther hat sie beherrscht und damit Weltgeschichte gemacht; Lessing, Lichtenberg, Büchner, Heine haben so geschrieben. Ein schlichter Satz von Brecht sprang 1990 von tausend Mauern in Millionen Münder: «Stell dir vor, es ist Krieg, und keiner geht hin.»

Von solcher Art sind die Sprachmodelle, für die hier geworben wird. Von solcher Art ist das Wort, das alle Fernsehkanäle überstrahlt und sie überleben wird. Es soll Spaß machen zu lesen, ob man im Lesen fortgebildet worden ist oder nicht. Also: Plagt euch, Schreiber! Wie, das läßt sich hoffentlich ohne Plage lesen.

Die richtige Einstellung

Regel 1: Wer gelesen werden will, muß sich klarmachen, warum Leser lesen

Welche Texte werden ganz gelesen, welche teilweise, welche überhaupt nicht – und warum? Da lassen sich vier Motive unterscheiden:

1. Ein Text wird gelesen, weil sein **Inhalt** so interessant ist, daß man ihn dringend lesen möchte, egal, wie schön oder wie scheußlich er geschrieben ist: Gebrauchsanweisungen für Feuerlöscher, wenn es brennt; Zeitungsnachrichten über Steuersenkungen oder einen Mord im Nachbarhaus.
2. Ein Text wird gelesen, wenn **Angst** den Leser treibt: Angst vor dem bedrohlichen Schriftsatz eines Rechtsanwalts, Angst des Studenten vor dem Professor, der ihn prüfen wird.
3. Ein Text wird gelesen, wenn er, bei leidlich interessantem Inhalt, **angenehm** zu lesen ist, das heißt gefällig und mühelos.
4. Ein Text wird **nicht** (oder nur zum kleinsten Teil) gelesen, wenn der Schreiber
   - nichts Aufregendes mitzuteilen hat,
   - keinen Druck auf den Leser ausüben kann
   - und sich auch nicht um eine angenehme Form bemüht hat.

   Texte von Behörden, Verbänden, Firmen sind fast durchweg von dieser Art, Texte in Abonnementszeitungen zum großen Teil.

Da Journalisten, Werbetexter, Briefschreiber Druck weder ausüben können noch wollen und da sie auf ihre Inhalte nur begrenzten Einfluß haben, ist ihr zentrales Problem, Texte zu liefern, die **angenehm** zu lesen sind.

Wie erreicht man das? Indem man **verständlich** und **gefällig** schreibt. Verständlichkeit und Gefälligkeit sind großenteils identisch: Was ich nicht mühelos verstehe, kann mir nie gefallen. Aber Verständlichkeit ist nicht alles; es müssen noch ein paar Reize hinzukommen, die einen Text interessant machen.

Die Verständlichkeit läßt sich in klare Regeln fassen; die Gefälligkeit bedarf der Erörterung im Einzelfall und unterliegt dem Geschmack.

Wie aber erzeugt man Texte, die verständlich und gefällig sind, also angenehm? Am Anfang steht der Satz: Liebe deinen Leser wie dich selbst.

Am Schnarchen sollt ihr euch erkennen

Wer ist der Leser, dieses schwer definierbare Geschöpf? Er ist ein Mensch mit einer Aufmerksamkeitsspanne von ungefähr 20 Sekunden. Auf allen Seiten wird er von Kräften attackiert, die um seine Zeit wetteifern: von Zeitungen und Zeitschriften, von Radio und Fernsehen, von Schallplatten und Videokassetten, von seiner Frau, seinen Kindern, seinem Hund – und von diesem mächtigsten aller Mitbewerber, dem Schlaf. Der Mensch, der in einem Sessel einnickt, eine halb gelesene Zeitschrift auf dem Schoß: Das ist einer, dem der Schreiber zuviel unnötige Mühe bereitet hat.

William Zinsser, «On Writing Well»

Wer ist in der fünften Zeile noch dabei?

In einem Schreiben an James W. Kinnear, Präsident von Texaco, attestiert Icahn diesem, wohl zu wissen, welche Auswirkungen dieser Mechanismus auf seine Fähigkeit habe, dem Texaco-Aktionärskreis eine Offerte zu unterbreiten. Icahn bekräftigte in seinem Schreiben, das er seinem SEC-Registrierungsantrag beifügte, daß er nach wie vor über einen Stimmrechtskampf nachdenke, um so ihm genehme Personen in den Verwaltungsrat von Texaco zu bringen, ließ sich dabei aber eine Hintertür offen und will seine künftigen Aktivitäten auf die Strukturierung dieser Mechanismen abstellen.

Vereinigte Wirtschaftsdienste (VWD)

Das Einzugsgebiet dieser fast durchweg aus der «Negation der Negation» sich affirmierenden Vermittlungsarbeit, die ihre polemische Dynamik aus einer konsequent durchgehaltenen Frontstellung gegenüber dem – sagen wir mal pauschal: wahrnehmungsästhetischen und erkenntnistheoretischen Unmittelbarkeitsanspruch «postmoderner» Kulturproduktion gewinnt, erstreckt sich, bei stetiger Rück-Sicht auf einen Avantgardebegriff, der dem nach wie vor gängigen Innovationspostulat zugunsten einer radikalen Entkanonisierung – und Neubewertung – kultureller Traditionen den Abschied gibt, gleichermaßen auf Bild- und Wortkunst, auf Musik und Philosophie, auf Theater und Architektur, auf Mode, Medien und Design.

DIE ZEIT

Mutmacher

Ich suche in den Büchern nichts, als mich bei einem ehrbaren Zeitvertreib zu amüsieren. Wenn ich beim Lesen auf Schwierigkeiten stoße, so beiße ich mir nicht die Fingernägel ab; bin ich den Schwierigkeiten ein- oder zweimal auf den Leib gerückt, so lasse ich sie liegen… Wenn mich ein Buch verdrießt, so greife ich nach einem anderen.

Montaigne

Wer wird nicht seinen Klopstock loben?
Doch wird ihn jeder lesen? Nein.
Wir wollen weniger erhoben
Und fleißiger gelesen sein.

Lessing

Wer aber nicht eine Million Leser erwartet, sollte keine Zeile schreiben.

Goethe zu Eckermann

Es wäre kein geringer Gewinn für die Wahrheit, wenn die besseren Schriftsteller sich herablassen würden, den schlechten die Kunstgriffe abzusehen, durch die sie sich eine Leserschaft erwerben, und zum Vorteil der guten Sache davon Gebrauch machten.

Schiller

In der Tat kann der Leser nicht weich genug gehalten werden, und wir müssen ihn, sobald die Sache nicht einbüßt, auf den Händen tragen mit unseren Schreibfingern.

Jean Paul

Unter Deutschen ist es nicht genug zu ehren, wenn jemand... dem eigentlich deutschen Teufel, dem Genius oder Dämon der Unklarheit, abschwört.

Nietzsche

Für mich ist auch die Literatur eine Form der Freude. Wenn wir etwas mit Mühe lesen, so ist der Autor gescheitert.

Jorge Luis Borges

Regel 2: Der Schreiber muß bereit sein, sich zu plagen

Faust ist ein Narr, wenn er behauptet: «Es trägt Verstand und rechter Sinn mit wenig Kunst sich selber vor.» Ob ein Augenzeuge den Hergang eines Verkehrsunfalls schildert oder ein Rentenfachmann den Inhalt der Rentenreform vorstellt – sie liefern für gewöhnlich gestammelte oder verblasene Scheußlichkeiten. Die Mehrzahl aller auf deutsch gedruckten Texte ist hingehudelt, ohne Rücksicht auf die Wünsche und Bedürfnisse der Leser, meist ohne Kenntnis dieser Wünsche und oft mit hochmütiger Ignorierung derselben.

Am Anfang also muß die Einsicht stehen: Da noch nie irgend etwas sich von selber vorgetragen hat, bedarf der Schreiber eines hohen Könnens – und des Willens, sich so lange zu plagen, bis die Kunst entstanden ist. Für alle Texte, die Leser suchen, gilt, was der Historiker Hermann Heimpel sagte, als er den Sigmund-Freud-Preis für wissenschaftliche Prosa entgegennahm: «Wissenschaftliche Prosa ist *genau*, also unbequem für den Autor, und *einfach*, also bequem für den Benutzer.»

Nur wer diese «kopernikanische Wende» vollzogen hat, weg von allem Hochmut, aller Gleichgültigkeit und allen Gebräuchen des Deutschunterrichts, hat eine Chance, die Mehrzahl seiner Adressaten als Leser zu gewinnen.

Die Gehetztesten von allen, die Tageszeitungsredakteure, wenden gern ein, ihre Arbeit lasse ihnen dafür keine Zeit. Dagegen ein dreifacher Widerspruch:

1. Die Boulevardzeitungen schaffen es, für ihre Leser zu schreiben. Was immer sich gegen ihr Niveau oder ihre Methoden sagen läßt: Es bleibt bemerkenswert, daß sie im Tagesgeschäft durchaus die Zeit haben, Sätze zu formulieren, die ihre Leser mögen.
2. «Wer Fehler mit Eile entschuldigt, ist in diesem Beruf so fehl am Platz wie ein Notarzt, der nicht gern unter Zeitdruck arbeitet» (Wilfried Seifert vom ORF).

3. Wer sich die folgenden 48 Regeln einmal einverleibt hat, braucht für gutes Deutsch oft nicht länger als für schlechtes. Wer im Begriff steht, einen Satz zu überfrachten, empfängt ja vielerlei Signale, ehe alle Wörter hingeschrieben sind: idealerweise schon bei der Konzeption im Kopf, sonst während der Niederschrift; zum Beispiel durch einen zu lang geratenen einleitenden Nebensatz (Regel **22**) oder durch gehäufte Präpositionen (Regel **26**) oder durch ein zu spät auftauchendes Subjekt (Regel **30**). Nun müßte der Schreiber solche Signale nur noch als Alarmglocken hören – und den Satz tilgen, ehe er zu seinem zähen Ende gekommen ist.

Aber vielleicht *will* der Schreiber gar nicht für Millionen schreiben; vielleicht hält er sich für ein Genie. Dann blüht ihm, ob er eines ist oder nicht, das Schicksal Hölderlins: zu Lebzeiten sechshundert Leser, dreißig Jahre Wahnsinn und ein trauriger Tod.

Der schwierige Weg vom Papier zum Kopf

Man hat den Deutschen vorgeworfen, daß sie bloß für die Gelehrten schrieben; ob nun dieses gleich ein höchst gesuchter Vorwurf ist, so habe ich mich doch danach gerichtet und überall für den geringen Mann mitgesorgt.

Georg Christoph Lichtenberg

...daß die Gedanken insofern das Gesetz der Schwere befolgen, als sie den Weg vom Kopf auf das Papier viel leichter als den vom Papier zum Kopf zurücklegen, daher ihnen hierbei mit allen uns zu Gebote stehenden Mitteln geholfen werden muß.

Schopenhauer

Wer's nicht einfach und klar sagen kann, der soll schweigen und weiterarbeiten, bis er's klar sagen kann.

Karl Popper

Was sich sagen läßt, läßt sich klar sagen, und worüber man nicht sprechen kann, darüber muß man schweigen.

Ludwig Wittgenstein

Der Anfänger beginnt am besten damit, daß er sich entschlossen von allem abwendet, wovon die Leute meinen, es kennzeichne den Stil: von allen Manierismen, Ausschmückungen und Tricks. Stil entsteht durch Klarheit, Einfachheit, Aufrichtigkeit und Ordnung... Reich geschmückte Prosa ist schwer zu verdauen, meist unbekömmlich und manchmal zum Erbrechen.

«Aber», könnte der Studierende fragen, «was, wenn *das Experiment* meine natürliche Ausdrucksweise ist, wenn ich ein Pionier bin oder gar ein Genie?» Antwort: Dann sei eins. Vergiß aber nicht: Was wie eine Pioniertat aussieht, ist vielleicht eine Ausflucht, oder Faulheit, oder die Abneigung, sich einer Disziplin zu unterwerfen. Gutes, richtiges Englisch zu schreiben ist durchaus nicht selbstverständlich, und bevor du so weit bist, wirst du durch genügend rauhes Land gereist sein, um deinen Abenteuerdurst zu stillen.

E. B. White, «An Approach to Style»

Schreiben ist harte Arbeit. Ein klarer Satz ist kein Zufall. Sehr wenige Sätze stimmen schon bei der ersten Niederschrift oder auch nur bei der dritten. Nehmen Sie das als Trost in Augenblicken der Verzweiflung. Wenn Sie finden, daß Schreiben schwer ist, so hat das einen einfachen Grund: Es *ist* schwer.

William Zinsser, «On Writing Well»

Regel 3: An «Entwicklungen» sollte er nicht glauben

Nicht «Die Sprache entwickelt sich», sondern jeder der 95 Millionen Deutschsprachigen entwickelt die deutsche Sprache – nichts und niemand sonst. Das ist keine Wortklauberei, sondern es markiert den entscheidenden Unterschied: Wer die Sprache als abstrakte Größe einstuft, auf deren Veränderung er ohnehin keinen Einfluß habe, wird auf den Versuch der aktiven Teilhabe an der Sprachentwicklung verzichten. Wer sich aber klarmacht, daß er selbst ein Stück Sprachentwicklung ist, kann sich zum Mitgestalten aufgerufen fühlen. Jeder hat einen Einfluß größer als Null.

Lehrer, Pfarrer, Werbetexter, Journalisten entwickeln die Sprache besonders stark; am stärksten vermutlich der SPIEGEL, die BILDZEITUNG, das Fernsehen und die DEUTSCHE PRESSEAGENTUR (dpa). Keine dieser vier Instanzen hat je oder wird je nach ihrer Legitimation gefragt; folglich sollte sich auch der nicht rechtfertigen müssen, der eine andere Entwicklung anstrebt.

Umgekehrt: Diese vier wollen keineswegs in erster Linie der deutschen Sprache dienen, sondern ihrem Geschäftsinteresse. Wer die Sprache liebt und sich dabei *nicht* von kommerziellen Motiven leiten läßt, sollte folglich seine Werturteile als höherrangig betrachten dürfen, selbst ohne Begründung im Einzelfall.

Mit derselben Selbstverständlichkeit darf jeder, der die Sprache liebt, seine Meinung für gewichtiger halten als den Sprachgebrauch all derer, die mit der Sprache gleichgültig, lieblos oder rotzig umgehen, also vermutlich der Mehrheit aller Deutschsprachigen.

Begründungen bleiben gleichwohl erstrebenswert. Mit welchen Gründen dürfte oder sollte der Liebhaber der Sprache bestimmte Entwicklungen fördern und anderen entgegentreten? Bewahren und fördern sollte er, was den drei großen Anforderungen an eine Sprache dient, die zugleich brauchbar, reizvoll und kultiviert sein will:

- Verständlichkeit

- Gefälligkeit
- Reichtum

Von Verständlichkeit und Gefälligkeit handeln die folgenden 47 Regeln. Und was heißt Reichtum?

- Daß man die Differenzierungen und Verfeinerungen in Wortschatz und Grammatik, die unsere Ahnen in Jahrtausenden vorgenommen haben, nicht einebnet, sondern wachhält und pflegt;
- daß man Bereicherungen des Wortschatzes bejaht (wenn sie denn welche sind).

Überlieferte Differenzierungen des Wortvorrats pflegen

Wähnen kommt von *Wahn* und heißt infolgedessen «sich einer Wahnvorstellung hingeben», einem Glauben anhängen, von dem der Leser weiß oder durch dieses Wort erfahren soll, daß es ein Irrglaube ist («Die Passagiere der Titanic wähnten sich in Sicherheit»). Wenn *wähnen* mehr und mehr als Synonym für *glauben* verwendet wird, so zerstört der Schreiber einen klaren Bedeutungsunterschied, und er tötet ein kraftvolles Wort, das in nur zwei Silben ein ganzes Drama enthüllt: Sie glaubten, und dabei war es ein Wahn! Wörter von so viel Kraft und Bedeutungsfülle sind Glücksfälle. Ihrem Absterben bloß zuzusehen wäre ein Trauerspiel; der Glaube, ihm zusehen zu müssen, ein Wahn.

Überlieferte Differenzierungen der Grammatik erhalten

Wir haben einen *Genitiv*, und es besteht kein Grund, ihn abzuschaffen. «Die Planung des Jäger 90» ist ein klarer Verstoß gegen die deutsche Grammatik. «Der Chefredakteur von BUNTE» ist nicht verständlicher und schon gar nicht gefälliger, sondern häßlicher und armseliger als «Der Chefredakteur der BUNTEN».

Wir haben zwei Konjunktive: Er *komme* und Er *käme*. Der erste bedeutet, daß er kommt (indirekte Rede), der zweite, daß er nicht kommt (Irrealis): Er käme ja gern, wenn nicht leider...

Bereicherungen des Wortvorrats bejahen

Nichts spricht dagegen, neue Wörter in den Wortschatz der Gemeinsprache aufzunehmen, falls sie praktisch sind, farbig sind, eine Wortlücke schließen – und sich dabei in Schriftbild und Aussprache nicht zu weit vom Deutschen entfernen.

Schöne Importe aus dem englischen Sprachraum: fair, Flirt, Job, Team, Jet-set; aus dem Französischen: Chance, schick; aus dem Russischen: Datscha. Aufstieg aus Dialekten in die Gemeinsprache: pingelig (rheinisch), Gschaftlhuber (bayerisch). Aufstieg aus dem Jugendjargon: null Bock.

Und wenn nun weder Verarmung noch Bereicherung vorliegt und die Verständlichkeit weder verbessert noch verschlechtert wird – wie in der um sich greifenden Wortstellung «Weil ich bin dagegen»?

Dann handelt es sich um einen fahrlässigen oder mutwilligen Bruch mit den Spielregeln der Grammatik. Wer sie bricht und damit Millionen seiner Mitmenschen ärgert oder irritiert, sollte einen Vorteil ins Feld führen können, eine Bereicherung. Wo, wie hier, nichts dergleichen erkennbar ist, sollten wir dem Regelbrecher erhobenen Hauptes entgegentreten und ihn niederzuringen suchen, statt uns hinter der Floskel «Die Sprache entwickelt sich eben» zu verstecken.

Die richtigen Wörter

Regel 4: Mit Wörtern geizen

Plappern macht Spaß – einem Plapperer zuzuhören macht keinen. Nichts schreckt potentielle Leser mehr ab als bombastischer Wortschwall und leeres Geschwätz. Angenehm zu lesen (Regel **1**) ist nur der Text, der Wort für Wort Vergnügen bereitet. Dazu gehört, daß jedes Wort ein Quantum Sinn transportiert. Folglich sollte man

Geblähte Floskeln vermeiden

Also nicht:	*sondern:*
zu diesem Zeitpunkt	jetzt
zu einem späteren Zeitpunkt	später
keine Seltenheit	häufig
ein Ding der Unmöglichkeit	unmöglich
strenges Stillschweigen bewahren	schweigen
... war an der Tagesordnung	... war die Regel
... konnte nicht darüber hinwegtäuschen	... konnte nicht verhehlen, nicht verbergen
... ließ an Deutlichkeit nichts zu wünschen übrig	... war ziemlich deutlich
... war nicht mehr wegzudenken	... gehörte einfach dazu

Wenn der Kaffee knapp ist, sollte man nicht von einem *angespannten Kaffeeversorgungsniveau* sprechen (nicht gerechnet, daß man Niveaus nicht anspannen kann); und als Sepp Herberger seine Elf noch zum Stürmen aufrief, war er sprachlich besser als Franz Beckenbauer, der verlangte, «dem Spiel im offensiven Bereich mehr Impulse zu verleihen».

Nichtssagende Floskeln vermeiden

In diesem Zusammenhang ist fast immer zu streichen, denn ohne Zusammenhang werden (hoffentlich) keine Reden gehalten und keine Texte geschrieben. Nur wenn ausnahmsweise jeder Zusammenhang durchbrochen würde, wäre *dies* der Erwähnung wert: «Ohne jeden Zusammenhang mit seinen Ausführungen über die Sorgen der Landwirtschaft sagte der Redner plötzlich: ‹Unser Ministerpräsident ist ein Gauner.›»

Die meisten Füllwörter streichen

Gewissermaßen, selbstredend, schlichtweg, insbesondere, regelrecht – solche Wörter sollten fast durchweg gestrichen werden. Erst recht die modischen Füllwörter wie *echt* (eine Katastrophe ist immer «echt», sonst ist sie keine) und *irgendwie* – ein Signal der Selbstbezichtigung: Gern hätte ich mich ja präziser ausgedrückt, aber ich wollte nicht ernstlich, oder irgendwie war mir das zu schwer. Dazu der *Bereich*, das beliebteste und sinnleerste Wort der Bürokratensprache (vor dem *Sektor* und der *Ebene*): Wer die Verwaltung meint, liebt es, vom *administrativen Bereich* zu sprechen, und die Juristen diskutieren über *Änderungen im Bereich des Zivilrechts*, obwohl der Bereich den Änderungen im Zivilrecht absolut nichts hinzufügen kann. (Mehr über Modewörter in Regel **7**.)

Füllfloskeln streichen

Sie lauten zum Beispiel: *Meines Erachtens* (mit der grotesken Variante «meines Erachtens nach»)

Nach meiner unmaßgeblichen Meinung (für maßgeblich hat ohnehin keiner sie gehalten)

Ich würde sagen (sagst du nun oder sagst du nicht?)

Ich meine folgendes (bisher hast du also geredet, ohne zu sagen, was du meinst?)

Gequälte Schein-Aussagen meiden

Wenn die Nachricht besagt:	*... ist es überflüssig zu schreiben:*
In der Stadtmitte liegt ein großer Park	Ein großer Park in der Stadtmitte lädt zum Verweilen ein
Es hat geschneit, und dabei ist schon April	Schneefälle brachten im April den Winter zurück
In einem Verschlag hinter dem Herd grunzte ein Ferkel	Ein Ferkel in einem Verschlag hinter dem Herd vervollständigte das Bild von Armut und Schmutz.

Wer Bilder *vervollständigt*, statt sie ohne Kommentar zu *malen*, vervollständigt in diesem Zusammenhang irgendwie das Bild echter Weitschweifigkeit.

(Von der Bildersprache handelt Regel **40**, vom Geizen mit Adjektiven Regel **5**, von den Grenzen des Geizes Regel **34**.)

Gegen das Geschwafel

Mach's Maul auf! Tritt fest auf! Hör' bald auf!

Luther

Meine Sprache ist allzeit simpel, enge und plan.

Georg Christoph Lichtenberg

Sprachkürze gibt Denkweite.

Jean Paul

Eine Erzählung hat genau zu sein wie eine militärische Meldung und ein Bankscheck. Die Klarheit und die Kraft der Sprache besteht nicht darin, daß man zu einem Satz nichts mehr hinzufügen kann, sondern darin, daß man aus ihm nichts wegstreichen kann.

Isaak Babel

Der Mensch hat den Drang, Leere für Fülle auszugeben. Unzufrieden mit dem, was er zu sagen hat, möchte er mit einem Liter Einsicht eine Tonne Wortschwall füllen... Wer sich auskennt, kann alles Mitteilbare in ein paar Worten sagen. Das Problem von Lehrern (Geigen-, Sprachen- oder sonstigen) besteht darin, daß sie den Stoff auswalzen, um für mehr Unterrichtsstunden bezahlt zu werden.

Ezra Pound, «ABC des Lesens»

Ich bemühe mich konsequent, aus hundert Zeilen zehn zu machen.

Alfred Polgar

Kraftvolle Sprache ist kurz und bündig. Ein Satz darf kein unnötiges Wort enthalten, ein Absatz keinen unnötigen Satz – aus demselben Grund, aus dem eine Zeichnung keine unnötigen Linien und eine Maschine keine unnötigen Teile enthält. Das bedeutet nicht, daß der Schreiber nur kurze Sätze bildet oder Einzelheiten wegläßt oder seinen Gegenstand nur in Umrissen darstellt – sondern daß jedes Wort etwas zu sagen hat (that every word tell).

William Strunk, «The Elements of Style»

Wenn es möglich ist, ein Wort zu streichen – streiche es.

George Orwell

Wenn Horaz den gewöhnlichsten Gedanken und das trivialste Gefühl ausdrückt, schaut es herrlich her. Das kommt, weil er in Marmor arbeitete. Wir heute arbeiten in Dreck.

Bert Brecht

Regel 5: Zwei von drei Adjektiven streichen

Adjektive sind die am meisten überschätzte Wortgattung: oft falsch, oft häßlich, oft bloße Rauschgoldengel – und wenn all dies nicht, dann immer noch Weichmacher, eine Bedrohung für Klarheit und Kraft. Folglich sind sie die Lieblinge der Werbetexter (nicht sauber, sondern rein!) – und schon seit dem römischen Rhetor Quintilian für die meisten Stillehrer ein rotes Tuch.

Falsche Adjektive

Der *weiße* Schimmel ist sprichwörtlich – aber *seltene* Raritäten kann man schon in der Zeitung lesen. Die *schwachen* Brisen, die *dunklen* Ahnungen, die *festen* Überzeugungen, die *gezielten* Maßnahmen, die *schweren* Verwüstungen sind nicht minder tautologisch: Denn *Brise* ist schon das Wort für schwachen Wind, eine *helle* Ahnung nennen wir Wissen, eine *weiche* Überzeugung sollte sich vor sich selber schämen, *ungezielte* Maßnahmen ergreift man nur im Irrenhaus, und aus *leichten* Verwüstungen ist noch nie eine Sahara entstanden.

Häßliche Adjektive

Sie sind die Lust vieler Geisteswissenschaftler. Jürgen Habermas spricht von *interaktionsfolgenrelevanten* Verbindlichkeiten, Hermann Lübbe von *gleichverteilungsunfähigen, bemühungsresistenten* Inkompetenzen; ein Buch über das «Lesen in der Mediengesellschaft» spricht vom «Miteinander *medialer audiovisueller* und *literaler* sowie *interpersonaler* Kommunikation». Und viele 15jährige sind stolz, wenn es ihnen zum erstenmal gelingt, statt des Winterwetters die *winterliche Witterung* zu Papier zu bringen. Wir sollten erwachsen werden und dem Soziologenjargon eine tiefempfundene, hoffentlich folgenrelevante Verachtung entgegentragen (siehe Regel **6**).

Weichmacher

Wie heißt das Lied? Am ausgetretenen Brunnen vor dem weinlaubumrankten, halbverfallenen Tore steht ein knorriger Lindenbaum? Nicht ganz. Irgend jemand muß die Adjektive gestrichen haben, und was herauskam, wurde einer der populärsten Texte deutscher Sprache.

Clemenceau hatte recht. Der französische Zeitungsverleger und spätere Ministerpräsident hängte in seine Redaktionen ein Schild, auf dem es hieß: «Bevor Sie ein Adjektiv hinschreiben, kommen Sie zu mir in den dritten Stock und fragen, ob es nötig ist.»

Regel 6: Den akademisch-bürokratischen Jargon zertrümmern

Wer so schreiben will, daß sein Text gern gelesen wird, muß die Sprache der Bürokraten, der Experten, der Wissenschaftler auf Zumutbarkeit abklopfen und alles Nichtzumutbare – das heißt: Nichtverständliche, Nichtlebendige – aus seinem Text verjagen. Das *Postwertzeichen* heißt natürlich Briefmarke, die *Einvernahme* heißt Vernehmung und die *Pankreas* heißt Bauchspeicheldrüse. Von dieser Generalregel gibt es zwei Ausnahmen:

- Eine geläufige Entsprechung für ein Fachwort liegt nicht vor. Dann schuldet der Schreiber dem Leser eine Erläuterung, etwa nach dem Muster: *Klaustrophobie* (die Angst vor engen Räumen, volkstümlich «Platzangst»).
- Ein Fachwort sieht wie ein Wort der Alltagssprache aus, hat aber eine andere Bedeutung. Unter *Totschlag* verstehen die meisten Deutschen die fahrlässige Tötung; die Anlehnung an diesen Sprachgebrauch verbietet sich jedoch, weil der Totschlag juristisch eine Tötung mit vollem Vorsatz ist, nur ohne die erschwerenden Merkmale, die die gewollte Tötung als Mord qualifizieren.

Warum fließt so viel Zunftjargon in Texte ein, die auf Laien zielen?

Weil viele Laien Angst vor den Experten haben und weil die meisten Experten ihren Jargon genießen.

Redakteure haben beispielsweise Angst, an die Stelle des amtlichen Wortes *Niederlande* das deutsche Wort *Holland* zu setzen. Dabei werben die Niederlande selber in Deutschland für «Käse aus Holland» (sie haben also, anders als die meisten deutschen Journalisten, Respekt vor dem deutschen Sprachgebrauch); ja mit welchem Ruf feuern die sogenannten Niederländer ihre Fußballmannschaft an? «Holland! Holland!» rufen sie.

In *beiden* Sprachen also ist Holland das populäre Wort, und wenn deutsche Zeitungen trotzdem von den «Niederlanden» sprechen, erfüllen sie ein bürokratisches Übersoll. Der Einwand, Holland hießen nur zwei Provinzen der Niederlande, ist so viel wert, wie es der Hinweis an die Franzosen wäre, daß sie uns gefälligst nicht *Alemannen* nennen sollen, nach einer Minderheit in Deutschland (die in einem Land sogar die Mehrheit stellt – in der Schweiz). Es hat jedem Volk egal zu sein, wie es in jeder anderen Sprache heißt.

Und was genießen die Experten am Jargon?

Zweierlei vor allem:

- *Sie schließen die Laien von der Verständigung aus.* Es freut die Ärzte, wenn sie sich am Bett des Patienten in einem Idiom unterhalten können, das er nicht versteht. Die Soziologen wiederum zelebrieren, wie der SPIEGEL schrieb, «die Virtuosität der Jargonbeherrschung» als Erkennungszeichen.
- *Sie wollen den Laien imponieren.* Mit pompösem Wortgeklingel wappnen sich die Experten gegen den Verdacht, sie hätten vielleicht nichts Besonderes zu sagen. «Theorien erweisen sich für einen speziellen Gegenstandsbereich dann als brauchbar, wenn sich ihnen die reale Mannigfaltigkeit fügt» – so schrieb Jürgen Habermas. Und Karl Popper reduzierte diesen Satz gnadenlos auf seinen Kern: «Theorien sind auf ein spezielles Gebiet dann anwendbar, wenn sie anwendbar sind.»

Wer zu faul ist, eine *Wissenslücke* zu schließen, der führt motivationale Defizite bei der Kompensation rollenspezifischer Explorationsdefizite ins Feld. Bei den Musiktagen in Donaueschingen schrieb 1987 ein Komponist über sein eigenes Werk ins Programmheft: «Meine nichtfinalen Entwicklungen arbeiten mit den Mitteln parataktisch juxtaponierter Kontraste.»

Offenbar hatte der Künstler das richtige Gefühl, daß ohne einen solchen sprachlichen Höhenflug auch seine Musik am Boden bleiben würde.

Zertrümmerung in vier Schritten

In der offiziellen Ankündigung des Hamburger «Intermedia»-Kongresses von 1985 hieß es:

> Im Mittelpunkt des Kongresses stehen drei Problemkreise: die technische Realisierbarkeit neuer audiovisueller Kommunikationsmittel in ihrer jeweiligen Relation zur wirtschaftlichen Praktikabilität und zur kundenseitigen Akzeptanz.

Was macht man damit, ehe man es druckt?

Erster Schritt: Wortballons anstechen. *Problemkreise* sind Probleme oder Fragen; *neue audiovisuelle Kommunikationsmittel* sind die Neuen Medien; Relationen sind immer *jeweilig*.

Zweiter Schritt: Die Nominalkonstruktionen zerschlagen. Aus *technischer Realisierbarkeit* wird «was technisch machbar ist»; aus *wirtschaftlicher Praktikabilität* wird «was die Wirtschaft praktikabel findet»; aus *kundenseitiger Akzeptanz* wird «was die Kunden akzeptieren». Nun heißt der Text:

> Im Mittelpunkt des Kongresses stehen drei Fragen: was bei den Neuen Medien technisch machbar ist, und zwar in Relation zu dem, was die Wirtschaft praktikabel findet und was die Kunden akzeptieren.

Das ist nicht gut genug. Also ein **dritter Schritt:** *Praktikabel* und *akzeptieren* tilgen, sie sind zweite Wahl; die *Relation* weglassen – wie sollten denn Techniker, Produzenten und Konsumenten *nicht* in Relation zueinander stehen? Also heißt der Text jetzt:

> Im Mittelpunkt des Kongresses stehen drei Fragen: was bei den Neuen Medien technisch machbar, wirtschaftlich vertretbar und menschlich zumutbar ist.

Ist aber *vertretbar* dasselbe wie praktikabel und *zumutbar* dasselbe wie akzeptabel? Die Vereinfachung verschiebt die Akzente.

Vierter Schritt: Akzente geraderücken – und weiter vereinfachen. *Fragen im Mittelpunkt* und *machbar sein*, das ist ja noch nicht lebendes Deutsch. Wie wär's mit diesem?

Der Kongreß will für die Neuen Medien klären, was die Technik kann, was die Wirtschaft will und was die Leute mögen.

Hier ist die Übersetzung von Fachjargon in die schlichtesten möglichen Wörter gelungen (Regel **9**), und vier aktive Verben regieren den Satz: wollen – können – wollen – mögen (Regel **12**).

Zertrümmerer gesucht

In bezug auf die Fragestellung nach der Relevanz der Kulturtechnik Lesen für den gesellschaftlichen Kommunikationsprozeß steht das Medium Buch nicht im Vordergrund, sondern reiht sich mit seiner Funktionalität eher neben die tagesaktuellen Massenmedien.

Angela Fritz,
«Lesen in der Mediengesellschaft», Wien 1989

Je mächtiger die Mediensysteme expandieren und diversifizieren, um so maßgeblicher für ihre Selbstkonzepte und Funktionsbestimmungen werden selbstreferentielle Faktoren und Legitimationsgrößen, um so irrelevanter werden entsprechend von außen herangetragene Normierungen, gleich welcher Autorität und Evidenz.

Hans-Dieter Kübler,
«Die schleichende Obsoleszenz
der Abbild-Normen», Bonn 1988

Ambiguitätstoleranz ist das psychische Korrelat der Normen- und Interpretationsdiskrepanzen sowie der nicht voll komplementären Bedürfnisbefriedigung im Interaktionssystem.

Lothar Krappmann,
«Neuere Rollenkonzepte als Erklärungsmöglichkeit
für Sozialisationsprozesse», Frankfurt/Main 1976

Archäologisches Bemühen der Erkundung molestierender Ontologiegehalte legt jenen Offenhaltungsanspruch diskreter Hintertüren von Subjektkonstitution gegen affirmative Dementi frei, welcher sich einer violentes Verbot genealogischen Ermittelns ob seiner Exkulpationsprämien favorisierenden Tradition indolenter Kritik verdankt.

Manfred Bertram,
«Subjektdisposition. Ontologie und Science-Fiction», Essen 1983

Mutmacher

Der Gesetzgeber soll denken wie ein Philosoph und reden wie ein Bauer.

Gustav Radbruch

Der Stil der großen, dunklen, eindrucksvollen und unverständlichen Worte sollte nicht länger bewundert, ja er sollte von den Intellektuellen nicht einmal länger geduldet werden. Er ist intellektuell unverantwortlich. Er zerstört den gesunden Menschenverstand.

Karl Popper

Ihr müßt so schreiben, daß euch die Marktfrau am Dom versteht, der Winzer in Rheinhessen das Blatt lesenswert findet und auch der Universitätsprofessor euch ernst nimmt.

Erich Dombrowski,
ehemaliger Chefredakteur der Mainzer ALLGEMEINEN ZEITUNG und Mitherausgeber der FAZ.

Regel 7: Modewörter und Klischees vermeiden

Clicher heißt eigentlich «abklatschen»; ein Cliché oder *Klischee* ist eine Druckplatte, von der man beliebig viele Abzüge machen kann, und ein *Sprachklischee* ist ein Wort oder eine Wortverbindung, von denen schon allzu viele Abzüge hergestellt worden sind: Modewörter, eingerastete Wortkombinationen, leergedroschene Bilder.

Modewörter

Blauäugig und hochkarätig, spektakulär, postmodern und multikulturell, das sind zum Beispiel Modewörter. Als diese Wörter sich aus dem Schatten vorarbeiteten, war dagegen eine Zeitlang nichts zu sagen; nun scheiden sich die Geister: Die einen lieben solche Wörter, eben weil sie in aller Munde sind; die anderen beginnen sie zu hassen, weil sie zu oft aus zu vielen Mündern quollen.

Für diese anderen, die Gegner der Mode, spricht ein objektiver Grund: Wer seinen Text mit Modewörtern spickt, wird zwar manches entlastende Wiedererkennen und Kopfnicken hervorrufen, aber kaum je etwas bieten, das den Leser fasziniert und in ihm haften bleibt. Modewörter entstammen dem Wühltisch beim Schlußverkauf: reichlich vorhanden, billig zu haben, wenig geachtet.

Zu diesem Einwand, der sich gegen alles allzu Modische richtet, kommt ein weiterer, wenn die Mode eine *falsche Verwendung* nach sich zieht. Das Modewort *optimal* heißt eigentlich: das unter den obwaltenden Umständen Bestmögliche – vielleicht also etwas ziemlich Schlechtes. Nur selten ist das Optimum zugleich das Maximum. Eben im Sinne von «maximal» oder «perfekt» wird optimal aber überwiegend verwendet.

Das Modewort *nachvollziehen* hat ein gutes Dutzend schöner deutscher Wörter ins Abseits geschoben, die früher statt dessen üblich waren: verstehen, begreifen, einsehen, einleuchten, kapieren, sich klarmachen, billigen, nachfühlen, nachempfinden. Die Verödung einer ganzen Sprachlandschaft durch ein Modewort wäre traurig genug; doch in all diesen Bedeutungen wird *nachvollziehen* auch noch falsch verwendet: Es bezeichnet nämlich kein Denken oder Empfinden, sondern ein Tun – der Straf*vollzug* beweist es ebenso wie der Gerichts*vollzieher*.

Sollen diese Wörter gar nichts mehr bedeuten? Sollen wir keine Zusammenhänge mehr spüren, auch wenn sie derart offensichtlich sind? Wenn Berufsschreiber nicht einmal sich selber zuhören – wer soll ihnen lauschen? Nachvollziehen heißt *nachmachen*, und dem Politiker, der mit Schmalz in der Stimme klagt, er könne diese schrecklichen Verbrechen «nicht nachvollziehen», dem sollten wir zurufen: «Um Gottes willen! Das hat auch keiner von Ihnen erwartet.»

Eingerastete Wortkombinationen

Das sind zum Beispiel die konstante Bosheit, die herbe Enttäuschung, der bittere Ernst, das hektische Treiben, das volle Verständnis (überflüssige Adjektive allesamt, siehe Regel **5**), auch der Sturm der Entrüstung, das Hageln der Proteste und das Bild des Grauens.

Leergedroschene Bilder

Bilder, die alle Bildhaftigkeit durch unmäßigen Gebrauch verloren haben: Das sind beispielsweise der große Bahnhof, der rote Teppich, das grüne Licht für, die Spitze des Eisbergs. Auch der *Stellenwert* ist Bildersprache, was kaum noch einer heraushört – nämlich eine Übertragung aus der Mathematik, wo die Stellen vor und hinter dem Komma über den Wert einer Ziffer entscheiden. Nach den ersten hunderttausend Stellenwerten wäre es vielleicht ganz erfrischend, sich auf die Ursprungswörter zurückzubesinnen: Wert, Rang, Bedeutung, Rolle.

(Von schiefen Bildern und der Vermischung von Bildern – Katachresen – handelt Regel **40**.)

Regel 8: Mit Silben geizen

Ein Wort ist um so verständlicher, je weniger Silben es hat – dies ist eine der beiden Grundregeln der Verständlichkeitsforschung (die andere in Regel **18**). Daß sie erschreckend simpel klingt und nach bloßer Erbsenzählerei, nimmt der Regel nichts – im Gegenteil: Mit der Kürze wächst nicht nur die Verständlichkeit, sondern auch die Anschaulichkeit und die Kraft. Die Lyrik aller Völker und die heiligen Schriften aller Religionen beweisen es («Im Anfang war das Wort, und das Wort war bei Gott»). Und was riefen die Leipziger, als sie im Oktober 1989 den Fall der Mauer vorbereiteten – wir sind die Bevölkerung? Nein: «Wir sind das Volk!»

Kürze heißt Kraft

Stehen für dieselbe Sache zwei Wörter mit verschiedener Silbenzahl zur Verfügung, so darf man wetten, daß das kürzere Wort zugleich das eingängigere und das kraftvollere ist. Die *Informationsdefizite* sind natürlich Wissenslücken und stehen zu diesem im Silbenverhältnis 9:4; das *Gefährdungspotential* ist auf deutsch ein Risiko (7:3), und das Modewort *ansonsten* ist dreimal so lang wie das schlichte «sonst», an dessen Stelle es getreten ist.

Selbst wo wir *zwei* kurze Wörter brauchen, um den vielsilbigen Oberbegriff zu ersetzen, haben wir oft noch Silben gespart und immer Anschaulichkeit gewonnen: Spanien und Portugal haben zusammen nicht mehr Silben als die Pyrenäenhalbinsel allein (und dabei den Vorzug, daß alle wissen, wovon der Meteorologe spricht); Wind- und Sonnenkraftwerke bestehen aus sieben Silben und *alternative Technologien* aus acht, Brot und Milch aus drei Silben und *Grundnahrungsmittel* aus fünf.

Natürlich: Bei den Technologien werden die Gezeitenkraftwerke unterschlagen und bei den Grundnahrungsmitteln Kartoffeln oder

Reis. Doch der alles abdeckende Ausdruck tötet die lebendige Sprache, das *pars pro toto* genügt durchaus, wenn man nicht Gesetze oder Grundbucheintragungen zu formulieren hat (Regel **11**).

Wortdreimaster

So nennt Schopenhauer jene Vielsilber, denen man nach seinen Worten einen Mast kappen sollte, noch besser zwei: den vorderen Mast bei *abändern* und *anmieten*, bei *Rückantwort* und *Eigeninitiative*; den hinteren Mast bei *Glatteisbildung* und *Rauchentwicklung* (denn was sich weder bildet noch entwickelt, kann nicht Rauch und Glatteis sein); den vorderen *und* den hinteren Mast beim *Bedrohungssignal*, da natürlich jede Drohung als Signal der Bedrohung verstanden werden möchte. Wo sich kein Mast kappen läßt, sollte man immer noch wissen, daß man einen Schleppzug bewegt, wo der Leser ein flottes Boot vorziehen würde: Frustrationstoleranz, Befindlichkeitspegel, Randgruppensensibilität.

Warum hat Churchill nicht von körperlichen Beschwernissen gesprochen und von der Notwendigkeit der rückhaltlosen Mobilisierung aller nationalen Energiereserven – sondern von *blood*, *toil*, *tears and sweat*? Weil er wußte und verkündete: «Die alten Wörter sind die besten und die kurzen die allerbesten.» Und Jean Paul hatte schon 1804 geschrieben, 145 Jahre bevor die Verständlichkeitsforschung sich etablierte: «Je länger aber ein Wort, desto unanschaulicher.» (Freilich hätte er noch besser die Verneinung vermieden – Regel **31** –, also formuliert: Je kürzer aber ein Wort, desto anschaulicher.)

Es sind die uralten Einsilber, in denen die Grundtatsachen unseres Lebens und unsere stärksten Gefühle eingefangen sind: Kopf und Fuß, Haus und Hof, Geld und Geiz, Haß und Neid, Wut und Gier, Glück und Pech, Angst und Qual, Not und Tod. Wer *Großviehbestände* schreibt, obwohl er nichts meint als Rind und Pferd, sollte sich im Landwirtschaftsministerium bewerben.

Zwei Meister der Einsilbigkeit: Lincoln und Goethe

Unter den Reden Abraham Lincolns (er schrieb sie selber) ragt eine heraus, die amerikanische Sprachkritiker noch bemerkenswerter finden als seine Ansprache auf dem Schlachtfeld von Gettysburg: die zu seiner zweiten Amtseinführung als Präsident. Von ihren 701 Wörtern haben 505 nur eine Silbe; William Zinsser hat das ausgezählt und lobt Lincoln dafür.

Nun gibt es im Englischen viel mehr kurze Wörter als im Deutschen – doch das akademisch-bürokratische Bestreben, sich vielsilbig auszudrücken, ist nicht weniger verbreitet; William Safire, der Sprachkolumnist der NEW YORK TIMES, verspottete 1993 das Vorhaben, aus dem schönen alten Zoo von New York einen *Wildlife Conservation Park* zu machen.

Auch ist Lincoln von Goethe übertroffen worden. Während der Präsident es auf 72 Prozent Einsilber brachte, hat Goethe in einem der berühmtesten Gedichte deutscher Sprache, der Ballade vom Fischer, eine Quote von 76 Prozent erreicht: Unter den 170 Wörtern des Gedichts befinden sich 130 Einsilber, 30 Zweisilber, 9 Dreisilber und ein einziges viersilbiges Wort: «wellenatmend». In der letzten Strophe («Sie sprach zu ihm, sie sang zu ihm...») haben von 48 Wörtern sogar 41 nur eine Silbe, das sind 85 Prozent.

Eine Meisterin der Vielsilbigkeit: die «Stiftung Lesen»

Im Tätigkeitsbericht 1990–92 der Stiftung Lesen heißt es:

> Alle Teilnehmer des Gesprächs waren sich einig, daß den feststellbaren Einbrüchen in der *Bibliotheksinfrastruktur* der ehemaligen DDR und der enormen Abnahme der Nutzung von Bi-

bliotheken auf *bibliothekspolitischer* wie *leseförderungspraktischer* Ebene begegnet werden muß.

Dieser Satz besteht nur zu 42 Prozent aus Einsilbern und enthält 3 achtsilbige Wörter, hier durch Kursivsatz herausgehoben. Wenn ein lesefreundlicher Text gestiftet werden soll, müssen die Achtsilber verschwinden, und die Zahl der einsilbigen Wörter sollte erhöht werden.

Auch gilt es, die Wortstellung *Abnahme der Nutzung von Bibliotheken auf bibliothekspolitischer Ebene* zu zerschlagen, da man meinen könnte (und zunächst wahrscheinlich meint), auf bibliothekspolitischer Ebene finde die Abnahme der Nutzung statt; es ist aber, wie sich vom Ende des Satzes her erschließt, jene Ebene, auf der dieser Abnahme begegnet werden muß (falscher Zwischensinn, Regel **29**).

Dieses Problem löst sich leicht, indem man das Wort *Ebene* (eine leere Hülse aus dem akademisch-bürokratischen Komplex) ersatzlos streicht; dann wird der Abnahme der Nutzung *bibliothekspolitisch* begegnet. Zu tilgen ist ferner das Wort *feststellbar* in der zweiten Zeile, da *nicht* feststellbare Einbrüche niemals Gegenstand einer schlüssigen Aussage sein können.

Die 3 Achtsilber dagegen widersetzen sich der Verwandlung in anschauliches, angenehmes Deutsch: Dazu müßte man ja wissen, worin die Einbrüche in der Infrastruktur der Bibliotheken bestehen und wie die bibliothekspolitischen und leseförderungspraktischen Maßnahmen aussehen sollen; das aber geht aus dem Text nicht hervor. *Ein* Beispiel für die Einbrüche! *Eine* bibliothekspolitische Maßnahme! *Ein* leseförderungspraktischer Schritt! Das hieße: konkret schreiben (Regel **10**), das pars pro toto wählen (Regel **11**), Beispiele bringen (Regel **34**).

In der vorliegenden Form ist der Text also nicht zu retten; gedruckt werden sollen hätte er nie.

Regel 9: Schlichte Wörter wählen

Der Rat, mit Silben zu geizen, führt offensichtlich dazu, daß der Schreiber bei schlanken, unauffälligen Wörtern landet. Lauert da nicht die Gefahr der Armut, ja der Versimpelung? Kann denn Lichtenberg wirklich recht haben, wenn er sich rühmt: «Meine Sprache ist allzeit *simpel*, enge und plan»? Natürlich, man soll Wörter wie *himmelstürmend* oder *sauertöpfisch* nicht verbannen, bloß weil sie vier Silben haben und im aktiven Wortschatz der meisten Menschen kaum anzutreffen sind. Man braucht auch nicht auf sie zu verzichten: Denn verständlich sind sie für jedermann, und anschaulich sind sie auch.

Die Warnung richtet sich vielmehr gegen die akademisch-bürokratisch aufgedunsenen Begriffe, gegen Bombast und Zunftjargon; und falls man sich nicht für einen Dichter hält, also an einer kleinen, treuen Schar von Lesern sein Genügen findet – dann sollte man überdies alle weithergeholten und manierierten Wörter meiden, es also Rilke überlassen, zu schreiben:

Nennt ihr das Seele, was so zage zirpt?

Und Stefan George:

Hinan und hinunter verletzen mich härene Karden.

Für den, der mit Worten wirken will, ist das simple Wort die richtige Wahl. Schon Cäsar, der ein großer Schriftsteller war, soll in seiner verschollenen Schrift zur Grammatik geschrieben haben: «Jedes selten gehörte und ungewohnte Wort sollst du fliehen wie ein Riff.» Jacob Grimm plädiert für «die bildliche Bannkraft des einfachen Wortes». Der amerikanische Stillehrer E. B. White empfiehlt: «Widerstehe der Versuchung, ein 20-Dollar-Wort zu benutzen, wenn du ein 10-Cent-Stück zur Hand hast, das den gleichen Zweck erfüllt.»

Schlichte Wörter allein tun es freilich nicht; man muß auch etwas zu sagen haben – am besten etwas Kraftvolles und Überraschendes. Schopenhauer hat dies auf jene Formel gebracht, die vielleicht die wichtigste aller Stilregeln ist:

Man brauche gewöhnliche Worte und sage ungewöhnliche Dinge.

Bei Lichtenberg hört sich das zum Beispiel so an: Es gibt jetzt der Vorschriften, was man sein soll, so mancherlei Arten, daß es kein Wunder wäre, wenn die Menge auf den Gedanken geriete, zu bleiben, was sie ist. In der Bibel: Von Staub bist du gekommen, und zu Staub sollst du werden. Bei Georg Büchner: Friede den Hütten – Krieg den Palästen! Bei Bert Brecht: Stell dir vor, es ist Krieg, und keiner geht hin. Wie simpel! Und nirgends ein Wort von mehr als drei Silben.

Selbst dem SPIEGEL, der es gern mit der Umkehrung von Schopenhauers Regel hält, gelingen zuweilen Sätze wie dieser: Der Boß der Drogenbosse, Pablo Escobar, starb standesgemäß im Kugelhagel.

Einen merkwürdigen und eindringlichen Beleg für Schopenhauers Formel lieferte 1992 der SPD-Veteran Erhard Eppler in seinem Nachruf auf Willy Brandt. Am Schluß seines Artikels deutete Eppler an, daß Brandt ein gläubiger Mensch gewesen sein könne – überraschend genug; und die beiden letzten Sätze lauteten in schlichtestem Deutsch: Willy Brandt war kein Kirchenchrist. Aber es spricht einiges dafür, daß er nicht ohne Neugier gestorben ist.

Regel 10: Die engste Einheit benennen

Ergiebige Niederschläge sind natürlich in Wahrheit heftiger Regen; sollte es sich um Schnee oder um Hagel handeln, so würden wir auch dies gern erfahren. Wenn aber «die Niederschläge teils als Regen, teils als Schnee niedergehen», so demonstriert der Meteorologe seine Affenliebe zum Oberbegriff in verschärfter Form: «Es wird teils regnen, teils schneien», das ist seine Aussage. Niederschläge sind ein bloßes Abstraktum für die Statistik; der liebe Gott hat keine gemacht, und Nichtstatistiker sollten sie niemals verwenden.

Die Versuchung aber scheint ungeheuer. **Die interpersonale Kommunikation in Form von Gesprächen mit Verwandten, Bekannten und Arbeitskollegen**... heißt es in einem Fachbuch über das Lesen in der Mediengesellschaft. Nun muß man der Autorin zwar dankbar sein, daß sie uns mit der interpersonalen Kommunikation nicht allein gelassen, sondern sie mit Leben erfüllt hat. Nur: Wenn ich schon erfahre, daß es sich um Gespräche mit Verwandten, Bekannten und Arbeitskollegen handelt – welchen Dienst leistet dann noch deren abstrakte Überwölbung durch die Floskel von der interpersonalen Kommunikation? Der Text sagt zweimal dasselbe, erst abstrakt, dann konkret (wie bei den Niederschlägen, die teils...); er folgt also der akademischen Zwangsvorstellung, daß man sich ohne abstrakte Begrifflichkeit in vielen lateinischen Silben nicht sehen lassen kann.

Das Besondere statt des Allgemeinen

«*Gänsediebstahl* statt ‹Dieberei›, dieses ist das Element des Ausdrucks.» Damit hat Lichtenberg wieder einmal recht; seine Sprache ist «allzeit simpel, *enge* und plan». Der Schreiber, der gelesen werden will, benennt das, was er meint, stets mit dem engsten Begriff. Meint er Henne, so schreibt er nicht «Huhn»; meint er Huhn, so schreibt er nicht «Geflügel» oder «Federvieh»; meint er Geflügel, so schreibt er nicht «Haustiere»; meint er Haustiere, so schreibt er nicht «Tiere»; meint er Tiere, so schreibt er nicht «Lebewesen», denn das sind die Pflanzen auch.

Findet aber der Schreiber in seiner Vorlage das Wort «Geflügel» nicht eingegrenzt, so sollte er recherchieren, ob es sich vielleicht nur um Hühner handelt; kann er das nicht, so wäre er gut beraten, wenn er auf den Text entweder verzichtete oder sich wenigstens ein schlechtes Gewissen leistete, falls er ihn verwenden muß. Denn die engste Einheit benennen heißt: präzise schreiben, konkret schreiben, anschaulich schreiben – und etwas Besseres läßt sich über Sprache gar nicht sagen.

Dabei ist ein Grenzfall zu beachten: der, daß der Ausdruck zwar knapp ist, aber trotzdem nicht konkret. Dieser Fall liegt erstens vor bei scheinbar harmlosen Wörtern wie *weitgehend* und *jede Menge*: «Ein weitgehender Verzicht» läßt gerade die entscheidende Frage offen, *wie* weit er geht; und «jede Menge» besagt: Genau weiß ich es nicht, recherchiert habe ich es nicht – und das knappste Wort für diesen Sachverhalt, *viele* nämlich, ist mir nicht schick genug.

Der Fall liegt zweitens vor bei Floskeln wie «mit allen Zeichen der Ungeduld» oder «Die Unglücksstätte bot ein Bild des Grauens». Was waren denn die Zeichen der Ungeduld, und wie sahen die Bilder aus, die sich zum Grauen summierten? Umgekehrt wird ein Schuh draus: Man beschreibt die Zeichen, malt die Bilder – und überläßt dem Leser die Chance, selbst zu folgern, daß es sich wohl um Ungeduld oder um Grauen handelte.

Die falsche Gewohnheit

Wer 18 bis 20 Jahre Schule und Hochschule hinter sich hat, dem fällt es offenbar unendlich schwer, sich von der Einübung in die Abstraktion wieder abzuwenden und auf den Punkt zu schreiben; ja vielen Akademikern ist nur mühsam klarzumachen, daß schon der Satz «Die Stadt machte einen verwahrlosten Eindruck» nichts ausdrückt, was der Schreiber gesehen, sondern nur, was er aus seinen Sinneseindrücken gefolgert hat – daß er sich also abstrakt ausdrückt und damit mögliches Leserinteresse verschenkt.

Was zum Beispiel könnte der Schreiber *gesehen* haben? Mauerschwamm und Fladen von abgeblättertem Putz, einen rostigen Heizkörper mitten auf der Straße, Unrat vor den Türen – nein, Unrat nicht, denn das ist ein weiter und kein enger Begriff und wieder eine Abstraktion: Scherben also, Plastikbecher, verfaulte Essensreste und Fäkalien. *Nun* hat der Leser jede Freiheit, sich das Wort «verwahrlost» seinerseits hinzuzudenken, falls ihn das freut.

Diese Freiheit ist um so wichtiger, als aus denselben Beobachtungen ganz verschiedene Schlüsse gezogen werden können: Wenn in einem Wohnzimmer die Schrankwand aus Palisander ins Auge sticht, der Kaufhof-Teppich mit dem Orientmuster und der Schlag in den Paradekissen – dann sollte es, nach solch minutiöser Schilderung, dem Leser überlassen bleiben, ob er deutsche Gemütlichkeit oder eher eine Schreckenskammer vor sich sieht. Abstraktion kann in Bevormundung ausarten – noch ein Argument gegen sie.

Die Irrungen der Abstraktion

Zu eben dieser Zeit nahm man Emilia Galotti vor. Dieses Stück war sehr glücklich besetzt, und alle konnten in dem beschränkten Kreise dieses Trauerspiels die ganze Mannigfaltigkeit ihres Spieles zeigen. Serlo war als Marinelli an seinem Platze, Odoardo ward sehr gut vorgetragen, Madame Melina spielte die Mutter mit vieler Einsicht, Elmire zeichnete sich in der Rolle Emiliens zu ihrem Vorteil aus, Laertes trat als Appiani mit vielem Anstand auf, und Wilhelm hatte ein Studium von mehreren Monaten auf die Rolle des Prinzen verwendet. Bei dieser Gelegenheit hatte er sowohl mit sich selbst als mit Serlo und Aurelien die Frage oft abgehandelt: welch ein Unterschied sich zwischen einem edlen und vornehmen Betragen zeige, und inwiefern jenes in diesem, dieses aber nicht in jenem enthalten zu sein brauche.

Und gewiß, könnten wir beschreiben, wie glücklich alles eingeteilt war, wie an Ort und Stelle durch Verbindung oder Gegensatz, durch Einfarbigkeit oder Buntheit alles bestimmt, so und nicht anders erschien, als es erscheinen sollte, und eine so vollkommne als deutliche Wirkung hervorbrachte, so würden wir den Leser an einen Ort versetzen, von dem er sich so bald nicht zu entfernen wünschte.

Goethe, «Wilhelm Meisters Lehrjahre»

Zahlreichen Hamburger Spezialitäten hat er auf diese Weise zu neuem Ansehen verholfen. Wie bei seinen Kreationen verbindet Viehauser auch hier Überliefertes mit Neuem zu mitunter ungewöhnlichen Kombinationen. Ebenfalls traditionsreich sind einige Hamburger Spezialitäten, die ebenso französische Geschäftsfreunde überzeugen dürften wie gebürtige Hamburger.

Hamburger Wirtschaft

Die Reize des Konkreten

Von den Tischereignissen ist mir nur noch als charakteristisch erinnerlich, daß ich im Eifer des Gesprächs in dem neben mir liegenden Stück Brot krümelte und dadurch unschöne Brosamen erzeugte. Da tippte denn Goethe mit dem Finger auf jedes einzelne und legte sie auf ein regelmäßiges Häufchen zusammen.

Franz Grillparzer (in seiner Autobiographie)

Wer sechs Roß im Stall stehen hat, ist ein Bauer und sitzt im Wirtshaus beim Bürgermeister und beim Ausschuß. Wenn er das Maul auftut und über die schlechten Zeiten schimpft, gibt man acht auf ihn... Wer fünf Roß und weniger hat, ist ein Gütler und schimpft auch. Aber es hat nicht das Gewicht und ist nicht wert, daß man es weitergibt. Wer aber kein Roß hat und seinen Pflug von ein paar mageren Ochsen ziehen läßt, der ist ein Häusler und muß das Maul halten.

Ludwig Thoma

Führerrede. Ich legte mich ins Bett und drehte der Welt den Hintern zu.

Gottfried Benn

Der Wind macht die Wolken, daß da Regen ist auf die Äcker, daß da Brot entstehe. Laßt uns jetzt Kinder machen aus Lüsten für das Brot, daß es gefressen werde.

Bert Brecht

Ob eine Frau Schneiderin ist oder Witwe eines Schneiders, macht für die Statistik nicht unbedingt einen Unterschied. Beide, Schneiderin und Schneiderswitwe, würden in vielen sozialgeschichtlichen Untersuchungen der Berufsgruppe der Schneider zugerechnet werden und somit dem Kleinbürgertum. Schwierigkeiten bei der Einordnung ergeben sich erst bei einem Fall wie dem folgenden: Denken wir uns eine Schneiderswitwe, die als Bauerntochter geboren wurde, vor ihrer Ehe als Dienstmädchen arbeitete und nach dem Tode ihres Schneiders einen Lehrer ehelicht. Diese Dame sprengt die Statistik.

Frankfurter Allgemeine Zeitung

Mutmacher

Der Ausdruck ist dem Gedanken angemessen, wenn er dem Leser besonders dadurch gefällt, daß er völlig bestimmt sagt, was wir haben sagen wollen. Er ist ein Schatten, der sich mit dem Baum bewegt.

Klopstock, «Gedanken über die Natur der Poesie»

Das erste, was not tut, ist Leben: Der Stil soll leben... Je abstrakter die Wahrheit ist, die man lehren will, um so mehr muß man erst die Sinne zu ihr verführen.

Nietzsche, Nachlaß

Gemeinplätze in nicht konkreten Worten sind bloße Faulheit; sie sind Geschwätz, nicht Kunst.

Ezra Pound (an Harriet Monroe)

Wenn die Stillehrer sich in irgendeinem Punkt einig sind, dann in diesem: Der sicherste Weg, die Aufmerksamkeit des Lesers zu wekken und wachzuhalten, ist der, besonders, bestimmt und konkret zu sein. Vermeide lahme, farblose, unverbindliche Wörter. Schreibe nicht: «Eine Periode widrigen Wetters setzte ein», sondern: «Eine Woche lang regnete es jeden Tag.»

William Strunk, «The Elements of Style»

Die Stilgaukler der höheren Grade... leben von der uralten Erfahrung: Je abstrakter man schreibt, desto geistreicher kann man sich ausdrücken. Bei einem gewissen Grad der geistigen Verdünnung verliert der Leser jede Kontrolle über den Sinn.

Ludwig Reiners, «Stilkunst»

Lassen Sie sich nicht erwischen mit einer Tasche, die nichts als abstrakte Hauptwörter enthält.

William Zinsser, «On Writing Well»

Regel 11: Oder noch weniger als die engste Einheit benennen (pars pro toto)

Ein Bauer, der mit seinem kompletten Hausrat und allen Haustieren auf neues Land umzieht, schafft ein Problem für den, der den Umzug beschreiben will: Hausrat und Haustiere sind abstrakte Oberbegriffe, also nach Regel **10** zu vermeiden. «Mit Sack und Pack» ist schon besser, aber noch nicht anschaulich genug; auch schlösse es die Tiere nicht ein. Die Aufzählung *aller* Umzugsgüter wiederum ergäbe eine trostlose Liste.

Das ist genau der Fall, der nach dem *pars pro toto* ruft: dem Teil anstelle des Ganzen. Aus den Hunderten von Tieren, Möbeln und Geräten greift man stellvertretend ein halbes Dutzend heraus, so, daß der Eindruck eines Totalumzugs in der anschaulichsten Weise hergestellt wird. Wie also zog der Bauer um? Mit Kühen, Schweinen, Hühnern, Standuhr, Herd und Melkmaschine.

Dieses Stilmuster ist eines der ältesten und bis heute durchschlagskräftigsten. Schauet *die Lilien* auf dem Felde, wie sie wachsen; sie arbeiten nicht, auch spinnen sie nicht, heißt es in der Bergpredigt – gemeint war natürlich, daß der Mensch, der sich zu viele Sorgen um morgen macht, sich *die Pflanzen* zum Vorbild nehmen solle. Doch statt des blassen Oberbegriffs und anstelle einer erschöpfenden Aufzählung schränkt Jesus sein Gleichnis auf die Lilien ein – ungerecht gegen alle anderen Blumen und sonstigen Pflanzen auf Erden, aber prall von Saft und dabei jedes Mißverständnis ausschließend.

Lichtenberg rühmte am Winter in Italien, dort ließen sich die Weihnachtslieder ohne Pelz und Feuerstübchen singen – während zu Hause nichts bleibe als Göttingischer Schnee, Schlittengeläute und magere Hyazinthen-Zwiebeln an meinem Fenster. Hölderlin drängte die Schrecken des Winters in zwei Bilder zusammen: Die Mauern stehen sprachlos und kalt; im Winde klirren die Fahnen. In dieselbe Richtung geht der Rat Balzacs: «Wenn du das Universum schildern willst, dann beschreibe dein Haus.»

Lilien, Mauern, Melkmaschinen sind eine der beiden Formen des *Beispiels*: pars pro toto, das Beispiel *anstelle* des Ganzen. Die andere Form des Beispiels ist eine willkommene *Dreingabe* zu einem Text, in dem logisch durchaus schon alles enthalten war, ein erhellendes Zusatzangebot. (Dazu Regel **34**: Kompliziertes doppelt sagen und nach Vergleichen fahnden.)

Regel 12: Verben hofieren

Wo immer man die Wahl zwischen zwei Wortgattungen hat, wähle man das Verb, das Wort der Tätigkeit, der Aktion, der Tat, des prallen Lebens: «Und es wallet und siedet und brauset und zischt, wie wenn Wasser mit Feuer sich menget.» (Schiller) Die Wahl hat man häufiger, als die meisten glauben.

Die schlechten Verben

Das bedeutet nicht, daß jedes Verb erstrebenswert wäre. Auch unter den Verben hat sich viel Müll angehäuft. Wenig ist gewonnen mit Wörtern der Untätigkeit wie *liegen*, *vorliegen*, *sich befinden*, *gehören*, *herrschen* (von Zuständen), *geben* (es gibt), *sich belaufen auf* und *sich handeln um*; gar nichts ist gewonnen, wenn sie sich noch dazu spreizen wie *weilen*, *aufweisen* und *in Vorschlag bringen* oder gar Amtsstempel tragen wie *beinhalten*.

Auch Tätigkeit muß noch kein Gütesiegel sein: *erfolgen* und *bewerkstelligen* bleiben tote Wörter, obwohl sie eine Bewegung ausdrücken. Wer *reflektieren*, *sensibilisieren*, *instrumentalisieren* schreibt, teilt vor allem mit, daß er sich dem akademisch-bürokratischen Komplex zugehörig fühlt. Wer zu *thematisieren* wünscht, sollte prüfen, ob er nicht einfach etwas aufgreifen möchte.

Tabu sein sollten auch die vom SPIEGEL in die Welt gesetzten Kunstverben wie *hämen*, *kuren*, *urlauben*; ebenso die Seemannswörter *hieven* und *dümpeln*: weil der SPIEGEL und seine Nachbeter überhaupt nichts mehr heben oder hochziehen, sondern nur noch «hieven» können; und weil bei Journalisten die Zwangsvorstellung umgeht, daß in jeder Reportage «gedümpelt» werden müsse; träge schaukeln sollen dabei nicht nur Boote oder Enten, sondern auch Pläne und Gesetzesvorhaben (Regel **7**: Modewörter und Klischees vermeiden).

Die guten Verben

Und was wären dann die *guten* Verben? Zum ersten die schlichten: «Der Kongreß will klären, was die Technik kann, was die Wirtschaft will und was die Leute mögen» (Regel **6**). «Sie sprach zu ihm, sie sang zu ihm...» (Regel **8**). «Stell dir vor, es ist Krieg, und keiner geht hin» (Regel **9**). Selbst *haben* und *sein* können Kraft gewinnen, wenn man sie zu setzen versteht, wie Schopenhauer in den drei Kapitelüberschriften seiner «Aphorismen zur Lebensweisheit»: Von dem, was einer ist – Von dem, was einer hat – Von dem, was einer vorstellt.

Zum zweiten geläufige Wörter in überraschendem Zusammenhang: Im Polizeibericht wurde eine Frau «mit dem Fleischerbeil *behandelt*» (was zwar zynisch oder unfreiwillig komisch ist, aber gleichwohl demonstriert, wie ein entleertes Wort plötzlich Fülle gewinnen kann). Heinrich Böll läßt eine Figur in ihrem Gewissen *herumpopeln*, Robert Walser läßt ein Kleid auf dem Boden *kichern und flüstern*.

Die dritte Gruppe erstrebenswerter Verben sind solche, die jeder versteht, aber kaum einer verwendet. Da wartet ein Schatz darauf, gehoben zu werden: murren, foppen, krächzen, lodern, übertölpeln.

Aus diesen drei Gruppen sollten wir uns bedienen – auch und zumal dann, wenn das Verb einen wohlgeratenen Satz aufschichtet aus den Trümmern einer zu Recht zerschlagenen Nominalkonstruktion (Regel **25**).

Regel 13: Passiv, Infinitiv und Plusquamperfekt vermeiden

Wenn es sich irgend einrichten läßt, sollte das Verbum nicht im Passiv stehen, nicht im Infinitiv und nicht im Plusquamperfekt. Alle drei sind in spontaner Rede selten und in Dialekten so wenig bekannt wie auf dem Schulhof. Das muß nicht den Ausschlag geben (nicht zum Beispiel beim Konjunktiv, da er logisch und journalistisch häufig zwingend ist); allemal aber sollten uns solche Symptome der Unlebendigkeit zu denken geben.

Warnung vor dem Passiv

Dem Passiv gilt die Liebe von Gebrauchsanweisungen, Kochbüchern und Behördenbriefen. In allen anderen Texten sollte es vermieden werden. Es hat den zusätzlichen Nachteil, zum Verstecken der handelnden Personen einzuladen: «Meier wurde zu Boden gerissen und mit Füßen getreten», das ist grammatisch korrekt und in jeder anderen Hinsicht unbefriedigend – wer trat ihn denn? Dies zu wissen haben wir dieselbe Neugier und dasselbe Recht, wie über die Person des Getretenen informiert zu werden.

Widerspruch ist folglich anzumelden gegen manche Stillehren, die das Passiv dann als legitim einstufen, wenn es wirklich das ausdrücke, was das Wort besagt: ein Leiden. Nein: Wer das Leiden zufügt, das wollen wir immer wissen. «Der Briefträger wurde zum zehntenmal gebissen» ist ein akzeptabler Satz – aber nicht deshalb, weil das Gebissenwerden ein Leiden ausdrückt, sondern nur deswegen, weil «beißen» und «Briefträger» das eindeutige Signal geben, daß das handelnde Subjekt ein Hund war; und dessen Persönlichkeit darf der Schreiber ignorieren.

Zulässig ist das Passiv ferner, wenn die handelnde Person uns nicht zu interessieren braucht («Der Bahnhof wird um Mitternacht geschlossen») oder wenn übermenschliche Kräfte wüten («Die Deichkrone wurde auf hundert Meter weggespült»). In allen anderen Fällen ist das Passiv entweder eine Unsitte oder der Fluchtweg eines Schreibers, der die handelnden Personen nicht in Erfahrung bringen konnte.

Zu warnen ist auch vor Floskeln, die die handelnden Subjekte verstecken, ohne sich der grammatischen Form des Passivs zu bedienen: Hundert Menschen sind ums Leben gekommen (unerwünscht, falls es durch Menschen geschah und nicht durch Naturgewalten), ein Krieg ist ausgebrochen, die Preise steigen.

Wilfried Seifert sagt es so: «‹Sie werden in Kenntnis gesetzt›, das ist Papier. ‹Ich aber sage euch›, das ist die Bergpredigt.» William Zinsser dekretiert: «Der Unterschied zwischen Aktiv und Passiv ist der Unterschied zwischen Leben und Tod.»

Mißtrauen gegen den Infinitiv

Der Infinitiv ist eine schriftliche, literarische Form des Verbs und auch unter gebildeten Erwachsenen beim Sprechen selten: «Sei doch so nett und gib mir das Buch» sagen die meisten; «...mir das Buch zu geben» würde schon ein bißchen gedrechselt klingen.

Auch schriftlich bleibt der Satz «Der Kanzler versicherte, die Wahl gewinnen zu können» zweite Wahl; «...er könne die Wahl gewinnen» ist das natürlichere und elegantere Deutsch. «Die Fähigkeit, die Wahl gewinnen zu können» wäre hingegen nicht nur schwach, sondern falsch: In der Fähigkeit, die Wahl zu gewinnen, steckt das Können schon drin. Daher sind neun von zehn *zu können*, *zu dürfen*, *zu sollen*, *zu müssen* zu streichen.

Vorsicht mit dem Plusquamperfekt

Das Plusquamperfekt ist ein sperriges Tempus – und leider eine journalistische Versuchung; denn die Nachricht über das Flugzeugunglück pflegt mit dem Absturz zu beginnen, so daß die Vorgeschichte nach dem Plusquamperfekt ruft: «Drei Minuten vor dem

Absturz hatte der Pilot noch gefunkt...», und bevor er gefunkt hatte, waren Flammen aus zwei Motoren geschossen.

Daraus folgen drei Ratschläge: die doppelte Verschachtelung, wie in diesem Beispiel, vermeiden um fast jeden Preis; bei einfacher Verschachtelung (Es hatte damit begonnen, daß...) nach einem einzigen Plusquamperfekt ins Imperfekt springen; möglichst oft (und in der Nachricht nach dem ersten Absatz) chronologisch erzählen. In der Bibel gibt es kein Plusquamperfekt, sowenig wie bei Homer.

Stutzen beim Imperfekt

Das Imperfekt ist das Tempus der Erzählung, es verweilt in der Vergangenheit. «Dann lernte ich Englisch» ist korrekt als Bestandteil eines Lebenslaufs – falls ich auf jede Ausssage darüber verzichten will, ob ich heute Englisch kann. «Englisch habe ich in Cambridge gelernt» bedeutet: Und nun kann ich es. Jede vergangene Handlung, die in die Gegenwart fortwirkt, verbietet das Imperfekt.

Diese klare Vorschrift der Grammatik kommt, anders als beim Passiv und beim Plusquamperfekt, erfreulicherweise dem Sprachgebrauch entgegen: In mündlicher Rede ist das Imperfekt («Dann ging ich ins Kino») fast unbekannt, außer bei den Hilfszeitwörtern: Ich war, ich hatte, ich mußte, konnte, sollte.

Regel 14: Synonyme meistens suchen

Dreimal *machen*, dreimal *aber* in drei Zeilen: Das mag kein Leser. Also sollte der Schreiber das zweite *aber* ersetzen durch doch, jedoch, dagegen, hingegen, dennoch, indessen, allerdings (und überlegen, ob das dritte nicht zu streichen wäre). Jede Häufung ist ärgerlich, ob ein hartnäckig wiederkehrendes *ist* oder der Passus im Jahresbericht der «Stiftung Lesen»: ... was einer Rücklaufquote von 19 Prozent *entspricht*. Dies *entspricht* nach dem Standard solcher Erhebungen ...

Klare Forderung also: die Härte der immergleichen Silben auf engem Raum vermeiden. Dazu eine Chance: Es freut den Leser, wenn er einen knochigen Menschen im Verlauf einer längeren Erzählung auch als untersetzt, klobig, grobschlächtig, ungeschlacht oder vierschrötig kennenlernt, unseren Wortschatz also mit Phantasie und Liebe ausgebeutet findet.

Bis hierher herrscht Einigkeit unter Germanisten, Journalisten und Sprachfreunden aller Art. Doch nun kommen wir zu den Übertreibungen.

In der Nachrichtensprache ist kein anderer Vorgang so häufig wie der, daß einer etwas *gesagt* hat. Wer auch dafür Synonyme sucht, betritt ein heißes Pflaster. Denn saubere Synonyme für *sagen* sind selten, statt dessen Dutzende von unsauberen im Umlauf.

Pausenlos liest man, daß Politiker *betonen, unterstreichen* und *bekräftigen* – und die Begeisterung vieler Redakteure für diese Schein-Synonyme geht so weit, daß sie mit dem *betonen* anfangen, ehe der Politiker überhaupt etwas sagen konnte. Das dauernde *unterstreichen* ist erstens widersinnig (jede Rede enthält vor allem nichtunterstrichene Passagen) und zweitens ein Herausputzen des Redners, wie man es eigentlich seinem Pressesprecher überlassen sollte.

Meinen, lächeln, grinsen, schmunzeln sind bekanntlich stumme Vorgänge, also gänzlich ungeeignet für die Mitteilung, daß einer etwas gesagt hat; ebenso *wissen* nach SPIEGEL-Art («‹Er war's nicht›, weiß Meier»). *Behaupten* ist eine parteiliche Distanzierung; *erklären* heißt einerseits «erläutern» (dann sage man das gleich) oder «feierlich verkünden» (das hätte der Pressesprecher gern!). Wörter wie *motzen*, *lästern*, *ketzern*, *höhnen* und *orakeln* sind erstens wieder parteilich und zweitens an den Haaren herbeigezerrt. Das Lob des CDU-Generalsekretärs Hintze für seinen Kanzler las sich im SPIEGEL so: Dieser Mann und seine Politik, himmelte Hintze, seien «unsere Chance und unsere Zukunft».

Geeignete Synonyme für *sagen* sind also nur: mitteilen, ankündigen, fortfahren, ausführen, hinzufügen; außerdem solche Verben, die entweder ein Objekt oder ein *daß* verlangen: bezeichnete als, bemängelte daß, widersprach ihm, kritisierte das Vorhaben, warnte vor einer solchen Entwicklung.

Aus diesem bescheidenen Vorrat nehme der Schreiber, wenn der Politiker fünferlei gesagt hat, die Verben zwei und vier; beim ersten-, dritten- und fünftenmal kann man ihn getrost etwas sagen lassen. Wer dann *noch* mehr von seinen Worten lesen möchte, der ist ein rarer Feinschmecker und soll selber in die Wahlversammlung gehen.

Der anderen Art von Übertreibung – dem Wechsel im Ausdruck um jeden Preis – wendet sich die folgende Regel zu.

Regel 15: Synonyme häufig tilgen

Für den *Wind* hat weder der liebe Gott noch irgendein Deutschlehrer ein Synonym gemacht. Ist er schwächer, heißt er *Brise*, ist er stärker, heißt er *Sturm* – aber wenn er gerade so bläst, daß alle Welt ihn «Wind» nennt, dann kann er nicht anders heißen, und bliese er hundert Seiten lang.

Gerade für die geläufigsten Substantive sieht die Sprache meist keine Synonyme vor. Wer sie trotzdem sucht, landet fast immer bei einem von dreien: der Unverständlichkeit, der Albernheit oder der glatten Verballhornung; er zahlt also einen unerträglich hohen Preis für eine bloße Zwangsvorstellung.

Amman ist natürlich kein verständliches Synonym für Jordanien, es in der Nachrichtensprache dennoch zu verwenden also ein provokanter Unsinn. *Ordnungshüter* und *Währungshüter* hat noch kein Mensch spontan für Polizei und Bundesbank gesagt, auch der Nachrichtensprecher nicht, wenn er mit Freunden redet; es handelt sich um eine im Journalismus etablierte Albernheit – wie *Urnengang* für Wahl oder *unser leuchtendes Zentralgestirn* für Sonne.

Der Tiefpunkt dieser Zwangshandlung ist bei der *Visite* erreicht, die der Bundeskanzler angeblich in Moskau macht – im zweiten Satz, weil der «Besuch» im ersten verbraucht war. Zwar hat sich in der «Visitenkarte» die Bedeutung «Höflichkeitsbesuch» erhalten; sonst aber ist die Visite ein Besuch von oben herab (des Papstes in der Diözese, des Schulrats in der Schule, des Chefarztes am Krankenbett), ja sogar die «Leibesvisitation» schwingt in ihr mit.

Ähnlich irreführend: das *Referendum*, auf deutsch «das zu Beschließende». Für «Volksentscheid» wäre es also ein korrektes Synonym, freilich eines, das gewiß 80 Prozent der Deutschen nicht verstehen – also wiederum *kein* erträgliches Synonym. Noch schlimmer: Auch das «Volksbegehren» und die völlig unverbindliche «Volksbefragung» kehren im zweiten Satz der Nachricht als *Referendum* wieder. Das

Synonym ist also ähnlich falsch wie die «Visite», nur mit dem relativen Vorzug, daß die meisten ohnehin nicht wissen, wovon die Rede ist.

Selbst wo sich für ein Substantiv ein treffendes und verständliches Synonym anbietet, sollte man zögern, es zu verwenden: Denn der naive Umgang mit der Sprache (der typische also und ein keineswegs zu tadelnder) sieht so aus, daß man die Sache, die man meint, mit einem Wort benennt, das alle kennen, und daß die Ehe zwischen diesen beiden so lange währt, bis der Schreiber oder Redner am Ende ist. Lese ich im ersten Satz «der Bräutigam» und im zweiten «der Freizeitangler», so halte ich sie selbstverständlich für zwei verschiedene Menschen, und wenn der Schreiber zweimal denselben meint, dann soll er seinen Angler in den Fluß kippen.

Ein Triumph über die Synonym-Besessenheit von Deutschlehrern und Chefredakteuren wird dort gefeiert, wo man eben mit der hartnäckigen Wiederholung Wirkung stiften will. Die Bibel, die Literatur und alle feurigen Reden sind voll davon; aber auch in tieferen Etagen läßt sich damit Effekt erzielen. So stellte die SÜDDEUTSCHE ZEITUNG im Inhaltskasten eine neue Fernsehsendung mit den Worten vor: «Was ist RTL peinlich? Nichts ist RTL peinlich. Zu Gast bei der neuen Scheidungs-Show.»

Regel 16: Importe prüfen

Töricht ist es, Wörter abzulehnen, bloß weil sie aus fremden Sprachen stammen: das Fenster aus dem Lateinischen, die Schokolade aus Mexiko, der Flirt aus England. Erfreulicherweise ist diese Torheit nicht mehr populär. Wo Wörter fremden und deutschen Ursprungs nebeneinander existieren, ist oft das «Fremde» das Übliche und Anzustrebende: *Adresse* mehr als «Anschrift», *Fotokopie* mehr als «Lichtpause».

Um so beliebter ist die umgekehrte Narretei: Wörter zu hofieren, bloß weil sie aus fremden Sprachen stammen – seit 1945 vorzugsweise aus dem englischen Sprachraum, dann *Anglizismen* oder *Amerikanismen* genannt.

Gut sind Anglizismen, wenn sie eine Wortlücke schließen und dabei keine Zumutungen an deutsche Schreib- und Sprechgewohnheiten stellen: fair, Job, Flop, Team, Drops.

Gut beraten waren unsere Großeltern, als sie zu Anfang des Jahrhunderts einige englische Importe beherzt eindeutschten: Aus shawl und strike, aus cokes und cakes machten sie Schal und Streik, Koks und Keks.

Gut waren noch unsere Eltern, als sie sich nach dem Zweiten Weltkrieg stark genug fühlten, aus *airlift*, *self-service* und *cold war* die Luftbrücke, die Selbstbedienung und den Kalten Krieg zu machen; das Übersetzen bleibt nämlich stets erlaubt.

Schlecht sind wir – wenn wir, wie üblich, eine der folgenden sechs Torheiten begehen:

1. Wir besitzen ein tadelloses, deckungsgleiches, gut und manchmal besser klingendes deutsches Wort, aber wir verwenden es nicht:

Statt:	*...könnten wir einfach sagen:*
Airbag	Luftsack
Hardware und Software	Geräte und Programme
Mountain bike	Bergrad
Pipeline	Rohrleitung
Showbusiness	Schaugeschäft
Spraydose	Sprühdose
Swimmingpool	Schwimmbecken

2. Wir geben eine Nichtübersetzung als Übersetzung aus: Die *Clinton administration* heißt bei jedem Fernsehreporter Clinton-Administration, obwohl das schiere Übersetzen zu dem Ergebnis «die Regierung Clinton» führen würde. Die *virtual reality* findet sich im Deutschen, ebenso gespreizt wie unverständlich, als «virtuelle Realität» wieder; eine Scheinwelt ist es, die sie meinen.

3. Wir übersetzen nur scheinbar; in Wahrheit äffen wir das englische Original in deutschen Silben nach.

Für:	*...schreiben die meisten:*	*...obwohl es heißt:*
frontline	Frontlinie	Front
network	Netzwerk	Netz
technology	Technologie	Technik
thunderstorm	Gewittersturm	Gewitter

Für «Gewitter» finden wir thunderstorm im Wörterbuch. Welcher Teufel reitet uns, aus dem «thunderstorm» dann den Gewittersturm zu machen? Die Front ist immer eine Linie, und noch scheuen wir uns, ein railway network als «Eisenbahnnetzwerk» vorzustellen.

4. Wir übersetzen schief und grotesk: *standing ovation* mit «stehender Ovation». Swimmingpool heißt aber nicht «schwimmendes Becken», und die standing ovation ist ein Stehbeifall, eine Ovation im Stehen.

5. Wir übersetzen nicht und verfälschen den Sinn: *jog* heißt trotten, traben, zuckeln. Als das Wiesen-, Wald- und Straßenlaufen (running) längst in Mode war, empfahl ein amerikanischer Trendsetter zumal älteren Leuten, lieber nur zu trotten, als sich durch Rennen zu überanstrengen. Grund genug, daß jogging in Deutschland längst «laufen, rennen» bedeutet.

6. Wir haben zuwenig Antrieb oder zuwenig Phantasie, uns dringend nötige Übersetzungen oder Eindeutschungen einfallen zu lassen: *recyceln* zum Beispiel ist eine aberwitzige Mißgeburt, nach deutscher Gewohnheit *rezüzeln* auszusprechen. Wie wär's mit «wiederverwerten» für den Anfang?

Fazit: Drei von vier Anglizismen *vermindern* die Verständlichkeit und die Gefälligkeit der Sprache; albern sind sie auch; und der Eifer, mit dem so viele Deutsche sich gegen das Deutsche entscheiden, erinnert an Churchills Worte: «Wenn man die Deutschen nicht an der Kehle hat, dann hat man sie an den Füßen.»

Die richtigen Sätze

Regel 17: Die deutsche Syntax überlisten

Von der Wortwahl, der die Regeln **4** bis **16** galten, kommen wir zu dem Problem, wie man aus Wörtern Sätze baut – Sätze, die jeder verstehen kann und jeder lesen mag.

Am Anfang steht, wie in Regel **1** und **2**, eine Einsicht und dazu die Bereitschaft, die Arbeit zu leisten, die aus dieser Einsicht folgt. Die deutschen Satzbaupläne sind unendlich viel verwickelter als die des Englischen und der romanischen Sprachen; ihre korrekte Verwendung läßt Sätze zu, ja legt Satzgebilde nahe, die ein Graus für alle deutschsprechenden Ausländer und für alle Simultandolmetscher sind – und dabei leiden diese beiden Gruppen nur mehr als deutsche Leser unter einer Not, die auch deutsche Leser haben. Nehmen wir einen Satz aus der FAZ:

> *Dem Raub* der Maschinenpistole, die in einem mit einer qualifizierten Diebstahlsicherung versehenen und mit einem mit zwei Millimeter dickem Stahlblech umkleideten Behältnis in einer Seitentür verwahrt wird und zur Standardausrüstung jedes Hamburger Funkstreifenwagens gehört, *war ein Notruf* über die Polizeinummer 110 *vorausgegangen*.

Der Satz handelt von zwei aufeinanderfolgenden Ereignissen: einem *Notruf* (dem Subjekt) und einem anschließenden *Raub* (dem Dativobjekt). Der Satz beginnt mit dem zweiten Ereignis (dem Raub), um nach 34 Wörtern das erste Ereignis (den Notruf) zu erreichen.

30 dieser 34 Wörter füllen einen eingeschobenen Nebensatz, verlassen also den Hauptstrang der Information.

Von den 30 Wörtern dieses eingeschobenen Nebensatzes entfallen 14 auf einen Untereinschub: eine Kette von Attributen, d. h. auf 14 Eigenschaften eines zunächst unbekannten Gegenstandes, ehe schließlich das sinnstiftende Wort *Behältnis* folgt, das mir erlaubt, die 14 Attribute von hinten her einzuordnen – falls ich entweder ein Gedächtniskünstler bin oder mir das Ärgernis des Zurücklesens zumute.

Die 14 Attribute bilden keine straffe Kette, sondern hängen zweimal durch: Vor die *Diebstahlsicherung* ist das Unterattribut *qualifiziert* geschoben, vor das *Stahlblech* die vier Unterattribute *mit zwei Millimeter dickem.* Dadurch entstehen zwei Wortfolgen, die wahrlich zum Verlieben sind: *in einem mit einer* und *mit einem mit zwei.*

Schließlich besteht auch noch das Prädikat aus zwei Hälften (*war* und *vorausgegangen*), zwischen die sich sechs andere Wörter drängen. In allen romanischen Sprachen hieße es: «...war vorausgegangen ein Notruf über die Polizeinummer 110».

Diesem Satz gebührt nach deutscher Grammatik das Prädikat «völlig korrekt»; er enthält nicht einmal Wörter, die im Sinn der Regeln **4** bis **16** zu vermeiden wären. Daß er dennoch mißraten ist und so nicht stehenbleiben sollte, dürfte das Urteil der meisten Deutschlehrer sein – wiewohl der Schreiber ihre Schule und vermutlich auch noch eine Universität durchlaufen hat. Die wenigsten Lehrer haben indessen jene Meßzahlen an der Hand, die die Verständlichkeitsforschung zur Verfügung stellt.

Diese Zahlen erlauben es, sich bei der notwendigen Zertrümmerung solcher Sätze nicht auf Geschmack und Gefühl zu verlassen, sondern die Grenzpfähle einzurammen, zwischen denen Geschmack, Gefühl und Stil sich bewegen dürfen – wenn man nicht Lyrik produzieren will, sondern Texte, die sich lesen lassen. Dazu muß man sie *überlisten*, die vermaledeite deutsche Syntax; die folgenden elf Regeln sagen, wie.

Regel 18: Zusammenlassen, was zusammengehört

Das Satzmonstrum in Regel **17** riß die beiden Hälften des Verbums um 6 Wörter auseinander, den Artikel und sein Substantiv um 14 Attribute; den Hauptsatz unterbrach es durch einen Nebensatz von 30 Wörtern. Nur die 6 Wörter zwischen den beiden Hälften des Verbums waren allenfalls erträglich, die anderen Unterbrechungen um das Doppelte bis Fünffache zu lang.

6 Wörter haben im Durchschnitt 12 Silben, und auf 12 Silben beläuft sich die durchschnittliche Speicherkapazität unseres Kurzzeitgedächtnisses. Diese Zahl hat dramatische Bedeutung, und daß sie eine bloße Faustregel ist, mindert diese Rolle nicht.

Grob ist natürlich der Durchschnittswert, daß 6 Wörter 12 Silben hätten: In der letzten Strophe von Goethes «Fischer» sind die Wörter nur 1,2 Silben lang (vgl. Regel **8**), in dem Satzmonstrum von Regel **17** dagegen 2,4 Silben, und die «Kapazitätsengpässe im Beherbungsgewerbe» zeichnen sich durch 5 Silben pro Wort aus. Gleichwohl: Als Durchschnittswert sind 2 Silben realistisch.

Grob ist ebenso das Rechnen in Silben, da doch die 6 Silben von *nichtsdestoweniger* einen ungleich geringeren Lese- oder Artikulationsaufwand erfordern als dieselbe Silbenzahl beim *Schiffsschraubenzwischenschacht.*

Ein grober Richtwert sind schließlich die 12 Silben, die unser Kurzzeitgedächtnis speichern kann: Seine Kapazität unterliegt erheblichen Schwankungen je nach Laune und Tagesform des Lesers und dem Gegenstand des Textes (Regel **1**); auch wird ein Professor der Germanistik längere Brücken von Satzglied zu Satzglied schlagen können als ein Zeitgenosse, der nur seine Boulevardzeitung liest.

Da aber diese Regeln das Schreiben für Unbekannte zum Thema haben, vielleicht für Millionen, *können* sie sich nur an Durchschnittswerten orientieren – ja, sie dürfen nichts anderes; eben mit der Faustzahl sind sie gut bedient.

Wie kommt die Faustzahl «12 Silben und nicht mehr» zustande?

12 Silben sind der Durchschnittswert für das, was ein Mensch in 3 Sekunden liest; und 3 Sekunden breit ist unser «Gegenwartsfenster»: das, was uns als Einheit erscheint, was unser Kurzzeitgedächtnis ohne Mühe überbrücken kann. Die Belege dafür stehen in Ernst Pöppels Buch «Grenzen des Bewußtseins», das die einschlägigen Studien resümiert; hier ein paar Beispiele:

In allen Sprachen haben die Zeilen fast aller Gedichte maximal 12 Silben, in 3 Sekunden schreien sich alle Schlagwörter der Weltgeschichte heraus, nicht länger als 3 Sekunden dauern alle populären musikalischen Motive, und selbst die Konstrukteure von Handgranaten lassen dem Soldaten zwischen dem Abziehen und dem Werfen 3 Sekunden Zeit.

Was bedeutet die Faustzahl für den Bau von Sätzen?

Sie bedeutet, daß der Schreiber sich hütet, das logisch oder psychologisch Zusammengehörige um mehr als 12 Silben auseinanderzureißen, wie die Grammatik es durchaus erlaubt, ja häufig nahelegt.

Und was im Satz gehört zusammen, logisch, psychologisch, lesetechnisch? Vor allem dies gehört zusammen:

- Der Hauptsatz (Warnung vor eingeschobenen Nebensätzen);
- Artikel und Substantiv (Warnung vor zu vielen Attributen);
- Subjekt und Prädikat;
- Die beiden Hälften des Verbums.

Davon handeln die Regeln **19** bis **28**.

Regel 19: Hauptsätze ausreizen

In spontaner Rede sind Nebensätze selten. Also tut die Schule recht daran, Nebensätze einzuüben, ja streckenweise das Schwergewicht auf sie zu legen: Das Instrument «Nebensatz», sein Reichtum, seine Flexibilität sollen für jedermann verfügbar sein. Doch ist dabei vielen Erwachsenen die unbefangene Liebe zum Hauptsatz abhanden gekommen: Sie unterschätzen seine Möglichkeiten und richten mit Nebensätzen Unheil an. *Deshalb* wird hier für den Hauptsatz geworben.

In Hauptsätzen schuf Gott Himmel und Erde. «Der Herr, der's gegeben hat, hat's auch genommen, wofür ich seinen Namen loben möchte» – so sprach Hiob *nicht*, sondern: Der Herr hat's gegeben, der Herr hat's genommen; der Name des Herrn sei gelobt! Bei Matthias Claudius heißt es *nicht*: «Der Wald, der schwarz steht, schweiget» und im «Erlkönig» *nicht*: «... erreicht den Hof mit Müh und Not, nur um zu erkennen, daß sein Kind tot war». Und so sprach Goethe über Byron:

> Zu seinen Sachen kam er wie die Weiber zu schönen Kindern: Sie denken nicht daran und wissen nicht wie.

So Heine über die Art, wie die Brüder Schlegel Goethe feierten:

> Sie bauten ihm einen Altar und räucherten ihm und ließen das Volk vor ihm knien. Sie hatten sich auch an Schiller gemacht, aber dieser war ein ehrlicher Mann und wollte nichts von ihnen wissen.

So schrieb Schiller im «Abfall der Niederlande»:

> Jetzt werden Seehelden aus Korsaren, aus Raubschiffen zieht sich eine Marine zusammen, und eine Republik steigt aus Morästen empor.

So der STERN über den siebenjährigen Churchill im Internat:

> Churchill war renitent, wurde geschlagen, verweigerte das Lernen, wurde mehr geschlagen, begann zu stottern und zertrat den Strohhut des Direktors.

So der SPIEGEL über den friedensbewegten General, der 1992 durch Selbstmord endete:

> Bastian gilt als von Moskau bezahlt, von der DDR gelenkt und von allen guten Geistern verlassen.

Sind das nicht biegsame, temporeiche Sätze? Wer würde sie hölzern nennen, wer nach entgangenen Nebensätzen rufen?

Kürze allein bringt es nicht

Übrigens: Die zitierten Sätze bestehen aus bis zu 20 Wörtern, zeichnen sich also keineswegs durch Kürze aus. Die Länge eines Satzes liefert nur ein erstes, grobes Indiz dafür, ob er verständlich ist und angenehm zu lesen. Kurze Sätze können häßlich und extrem unübersichtlich sein («Vor vor dem Rathaus unbefugt vorfahrenden Kraftwagen wird gewarnt», 9 Wörter) und lange Sätze durchsichtig wie der in Regel **28** zitierte von Ludwig Thoma, der es mit leichter Hand auf 47 Wörter bringt.

Mit Hauptsätzen hat das Kind begonnen, auf Nebensätze wurde es in der Schule getrimmt. *Nach* der Schule sollten wir wieder überwiegend in Hauptsätzen schreiben: Denn leichter verständlich sind sie immer, sie wahren die Chronologie, sie klingen mündlicher, lebendiger und dramatischer und bei einigem Geschick sogar eleganter – kurz: Sie sind die erste Wahl. Daß man allerdings auch Hauptsätze zu Satzschachteln türmen kann (und nicht sollte), davon handeln die Regeln **24** bis **28**.

Fünf Warnungen vor dem Nebensatz

Nebensätze – oft legitim, oft sehr elegant und manchmal nötig – sollten in fünf Fällen strikt vermieden werden:

1. wenn sie die Hauptsache transportieren,
2. wenn sie eine gleichberechtigte zweite Hauptsache verstecken,
3. wenn sie die Handlung tragen oder weiterführen,
4. wenn sie einen Fremdkörper einschieben,

5. wenn sie zwar alle diese Fehler nicht enthalten, aber den Hauptsatz um mehr als 12 Silben unterbrechen.

Von den ersten vier Einwänden gegen den Nebensatz handelt die folgende Regel, vom fünften Einwand Regel **21** – Regel **23** aber von den *schönen* Nebensätzen.

Regel 20: Vier Arten von Nebensätzen niemals verwenden

Nebensätze meiden, die die Hauptsache transportieren

Die Grammatik läßt Hauptsätze ohne Inhalt zu: «Es trifft sich, daß ich gestern Millionär geworden bin» oder «Die Nachricht lautet, daß soeben Krieg ausgebrochen ist». Für kabarettistische Zwecke ein überaus geeignetes Modell; aber immer wieder stößt man auf Texte, in denen diese Stilfigur ernst genommen wird.

Dem LUXEMBURGER TAGEBLATT gab eine Tatsache zu denken, wie schön; welche, ist dem Nebensatz zu entnehmen, der sich 46 Wörter lang zwischen die beiden Hälften dieses Hauptsatzes schiebt:

> *Die Tatsache*, daß die DP-Bürgermeisterin gerade zu diesem Zeitpunkt, wo sie – genau wie ihre Kollegin und ihre Kollegen aus dem Schöffenrat – um die Ebbe in der Stadtkasse weiß und darum, daß viele weitere wichtige, wenn auch weniger publicityträchtige Aufgaben lauern, ein solches Prunk-Objekt errichten will, *gibt zu denken*.

Der NEUEN ZÜRCHER ZEITUNG hingegen war es *kaum verwunderlich, daß*... Nur sind zwischen diesem *daß* und den drei Wörtern des Hauptsatzes leider 50 Wörter (darunter 8 Adjektive mit vier bis sechs Silben), 7 Kommas und 2 Gedankenstriche zu überwinden:

> Daß Nabokovs militanter, bisweilen programmatisch überhöhter Konservatismus, dem jeglicher revolutionäre Paradigmenwechsel – der bolschewistische wie der futuristische, der psychoanalytische wie der existentialistische – gleichermaßen zuwider war, mit einem Literaturbegriff korrespondierte, für den die Wahrung des Traditionszusammenhangs, mithin die Hervorbringung des Neuen aus dem Alten vordringlicher war als die Durchsetzung von Prioritäts- oder Originalitätsansprüchen, ist kaum verwunderlich.

Nebensätze meiden, die eine zweite Hauptsache verstecken

So im Leitartikel der SÜDDEUTSCHEN ZEITUNG:

> Der Bürger wird von diesem sich ausweitenden Streik, *der allerdings noch nicht zum Chaos geführt hat*, gleich doppelt betroffen.

Ähnlich im Wissenschaftsteil der WELT:

> Mit größer werdendem Abstand der Körper nimmt die Schwerkraft, *die über beliebig große Abstände wirksam ist*, quadratisch ab.

Die Schwerkraft nimmt also mit dem Abstand ab, und sogar quadratisch – aber wirksam ist sie über beliebig große Abstände! Eine absolut paarige Aussage, geradezu ein verblüffender Gegensatz; doch seine zweite Hälfte wird in einen Nebensatz abgedrängt, und dieser Nebensatz wird auch noch in den Hauptsatz hineingestopft, ehe der beendet ist!

Von drei Hauptsachen wiederum lassen sich sogar zwei in einen eingeschobenen Nebensatz zwängen – in der FAZ:

> Jetzt will die Regierung Nepals, die zwar ein Gesetz erlassen hat, daß alle Expeditionen ihren Müll und alle Ausrüstung – im Durchschnitt zehn Tonnen – wieder zurückbringen müssen, aber nicht in der Lage ist, wirksam zu kontrollieren, die Zahl der Kletterer drastisch beschränken.

Drei Gedanken, also nach aller Vernunft drei Sätze: Die Regierung Nepals hat ein Müllgesetz erlassen; wirksam kontrollieren kann sie es nicht; nun will sie die Zahl der Kletterer beschränken. Nicht besser im Tätigkeitsbericht der «Stiftung Lesen»:

> Der Bücherfrühling, der alljährlich unter der Schirmherrschaft der Ministerpräsidenten im gesamten Bundesgebiet durchgeführt wird und in dem allein im Jahr 1991 in über 1500 Städten rund 7000 Veranstaltungen stattfanden, baut im wesentlichen auf das Interesse und Engagement kommunaler und privater Träger.

Die Schirmherrschaft, die Zahl der Veranstaltungen und worauf der Bücherfrühling baut – drei Hauptsätze, was sonst! Kurze Hauptsätze werden natürlich nicht durch Punkte getrennt (Regel **36**) und Nebensätze, wenn schon eingeschoben, nicht auch noch auf 27 Wörter oder 64 Silben ausgewalzt, mehr als das Fünffache des allenfalls Vertretbaren (Regeln **18** und **21**). Es ist wie eine Krankheit, wie ein Preisausschreiben für die törichtste Art, von der Grammatik Gebrauch zu machen.

Die Unsitte der irgendwo im Satz herumbaumelnden Hauptsachen ist übrigens auch mit der Grammatik anderer Sprachen zu bewältigen.

Nebensätze meiden, die die Handlung tragen oder weiterführen

Solche Nebensätze bezeichnet sogar die Duden-Grammatik als unerwünscht, mit dem Mustersatz: «Er öffnete den Schrank, dem er einen Anzug entnahm.» Richtig sei: «Er öffnete den Schrank *und entnahm ihm einen Anzug.*» (Hauptsätze! Hauptsätze!) Unsere großen Zeitungen halten sich nicht daran.

> Es gibt also keinen existentiellen Zwang zum Kompromiß, der gleichwohl wegen des Unmuts der Betroffenen mit zunehmender Streikdauer nicht lange auf sich warten lassen dürfte.
>
> Süddeutsche Zeitung

> Es gehe um einen konkreten Schritt zu einer pragmatischen europäischen Zusammenarbeit, erklärte die Umweltministerin, die eine konvergierende Umweltpolitik als Voraussetzung für den Aufbau eines gemeinsamen Europa darstellte, in dem Wohlstand, Frieden und soziale Solidarität herrscht.
>
> Neue Zürcher Zeitung

Nebensätze meiden, die einen Fremdkörper einschieben

Ein Muster von zeitloser Schönheit aus der SÜDDEUTSCHEN ZEITUNG:

> *Dem Jubilar*, der aus Ostpreußen stammt, jetzt aber aus Bayern und seinem Heim mit den schönen afrikanischen Holzplastiken gar nicht mehr weg möchte, *herzliche Geburtstagsgrüße*!

Dem Jubelschreiber waren am Schluß seiner Würdigung offensichtlich vier Fakten übriggeblieben, die er noch unterbringen wollte: einst Ostpreußen – jetzt Bayern – will bleiben – hat afrikanische Holzplastiken; und wo stopft er sie hinein? In den letzten Hauptsatz seines Textes. Nicht besser, nur umständlicher in der FAZ mit einem Fremdkörper von 37 Wörtern oder 98 Silben, das heißt dem Achtfachen des Zumutbaren:

> *Dadurch ist dem Porträt*, in dem sich der Dirigent auch zur Rolle der Säle als «Instrument» des Orchesterklangs, zum Unterschied zwischen Konzertspontaneität und dem Kalkül der Plattenaufnahme, zwischen amerikanischer Sponsoren- und europäischer Subventionskultur, amerikanischer «Naivität» als allseitiger Offenheit und europäischer Vorurteilsneigung äüßert, *eine gewisse Einseitigkeit nicht abzusprechen*.

Vier Arten von Nebensätzen also, die immer vermieden werden müssen, unabhängig von ihrer Länge und der Satzkonstruktion: weil sie die alleinige Hauptsache oder eine zweite Hauptsache enthalten, weil sie die Handlung weiterführen oder weil sie Fremdkörper dazwischenklemmen.

Nach diesen vom *Inhalt* diktierten Verboten nun zur *Form*: Darf oder soll der Nebensatz angehängt, vorangestellt oder eingeschoben werden, und welche Längen sind annehmbar in welcher Position?

Regel 21: Einschachtelung vermeiden

Diese Regel warnt vor solchen Nebensätzen, die zwar keinen der in der vorigen Regel dargestellten vier Fehler enthalten und trotzdem vermieden werden sollten oder müssen.

Jeden Nebensatz, *der den Hauptsatz unterbricht*, sollten wir mißtrauisch betrachten (wie den in diesem Satz, 9 Silben lang). Ist der Einschub in den Hauptsatz mehr als 12 Silben lang, so *muß* er gekürzt, besser noch: beseitigt werden, aus den in Regel **18** genannten Gründen.

Einschübe sind unerwünscht

Warum ist ein kurzer eingeschobener Nebensatz unerwünscht? Was spricht gegen einen so übersichtlich gebauten Satz wie «Ich gehe, da es regnet, nicht spazieren»? Mehrerlei. In spontaner Rede würde derselbe Mensch sagen: «Ich gehe nicht spazieren, es regnet» – in Hauptsätzen würde er sprechen (Regel **19**).

Schriebe er, so hätte er eine größere Affinität zum Nebensatz und schriebe, falls er einen solchen wählt, mit 80prozentiger Wahrscheinlichkeit: «Ich gehe nicht spazieren, weil es regnet» – denn die Duden-Statistik besagt: 80 Prozent aller Nebensätze werden *angehängt*. Schriebe er: «Weil es regnet, gehe ich nicht spazieren», so hätte er die weit seltenere Form des *vorangestellten* Nebensatzes gewählt, aber immer noch eine, die den Hauptsatz ungeschoren läßt.

Die Wortstellung «Ich gehe, da es regnet, nicht spazieren» ist in geschriebenen Texten die bei weitem seltenste und in gesprochenen so gut wie unbekannt. Geschrieben mag sie, wenn es gutgeht, kraftvoll sein und rhythmisch interessant; doch ob gut oder schlecht gesetzt: Immer ist sie literarisch und der lebendigen Rede fremd.

Deshalb also sollten eingeschobene Nebensätze die Ausnahme bleiben, auch wenn sie weniger als 12 Silben haben. Und aus einem weiteren Grund, auf den Schopenhauer hingewiesen hat: Da der Mensch nur einen Gedanken gleichzeitig denken könne, solle der Schreiber sich nicht selbst ins Wort fallen und dem Leser keine eingekeilten Zwischensätze zumuten.

Lange Einschübe sind unerträglich

Ist aber der eingeschobene Nebensatz mehr als 12 Silben lang, so wird für jeden, der für viele Unbekannte schreibt, aus der Warnung ein Verbot. Dann entsteht etwas vom Schlimmsten, was man Lesern antun kann: der *Schachtelsatz*. Unerträglich macht ihn entweder die bloße Länge des Einschubs (wie der von 98 Silben am Schluß von Regel **20**) oder die Mehrfach-Verschachtelung, die Herstellung von Abhängigkeiten zweiten und dritten Grades.

Gülke zögert nicht, ließ uns in der FAZ Dietrich Fischer-Dieskau über einen Schubert-Biographen wissen. Doch zwischen Gülke und sein Zögern schob er:

> **Gülke**, der sich gleich zu Beginn die Frage stellt, weshalb just das sensationslose und an Widerspiegelungen geschichtlicher Allgemeingültigkeit arme Leben des Franz Schubert immer wieder bevorzugt geschildert und vielfach mißdeutet wurde, **zögert nicht**, vieles an den überlieferten «Zeugnissen» seit den Lebenstagen Schuberts anzuzweifeln.

Nichts wäre einfacher gewesen, als aus dem gesamten Einschub von 30 Wörtern oder 63 Silben einen eigenständigen Hauptsatz zu machen, und zwar den ersten von zweien, denn es heißt ja, daß Gülke sich *gleich zu Beginn* die Frage stellte. Und *dann* zögerte er nicht...

Doch die grammatische Möglichkeit, ein einseitiger Deutschunterricht und die Weigerung, *sich auch nur einen einzigen Leser vorzustellen* – nein, hier ist soeben ein eingeschobener Nebensatz von 14 Silben entstanden, außerdem wäre das Prädikat zu spät auf das Subjekt gefolgt (Regel **28**) – also von neuem:

Hier haben sich vier Elemente zum Chaos verbündet: die grammatische Möglichkeit, ein einseitiger Deutschunterricht, ein gespanntes

Verhältnis des Autors zur Logik natürlicher Abläufe und seine offensichtliche Weigerung, sich auch nur einen einzigen Leser vorzustellen.

Der Leitartikler der SÜDDEUTSCHEN ZEITUNG hatte sagen wollen: Erstens, der Streik wäre zu vermeiden gewesen, hätte man nur...; zweitens, nun werde er auf dem Rücken der Bürger ausgetragen. Fasziniert von der Chance, diese zwei Eier zu einem Omelett zu verquirlen, schob er statt dessen den ersten Gedanken mit seinen 35 Wörtern oder 74 Silben mitten in den zweiten hinein:

> **Mithin wird dieser Streik**, der zu vermeiden gewesen wäre, hätte man entweder den Schlichterspruch von 5,4 Prozent bei verlängerter Tariflaufzeit oder das Arbeitgeberangebot von 4,8 Prozent bei erhöhten Sockelbeträgen zu Gunsten der niedrigen Lohn- und Gehaltsstufen akzeptiert, **voll auf dem Rücken der Bürger ausgetragen**.

Wer sich die ganze korrekte Widersinnigkeit solcher Satzgebilde vor Augen führen will, sollte sie grafisch aufgliedern und das so entstehende Schema jeweils von links nach rechts lesen, Ebene um Ebene, bis zum Abgrund hinab – siehe nächste Seite.

Warnung vor Klammern und Parenthesen

Klammern und Parenthesen – die Einschachtelungen zwischen Gedankenstrichen – sind um nichts besser als eingeschobene Nebensätze; in zweierlei Hinsicht erschweren sie das Verständnis sogar noch mehr:

- Ihr bloßer Anblick, zumal in der Häufung, wirkt auf viele Betrachter abstoßend vor aller Lektüre; das ist erwiesen.
- Sie machen es leichter als zwei Kommas möglich, mitten im Satz dessen Konstruktion radikal zu unterbrechen, und gern bedienen sich viele Schreiber dieses Modells.

> Sie ernteten damit schon zu Zeiten ihrer Drucklegung in Paris – nur so war Schutz vor Raubkopien möglich – Ruhm.
>
> SÄCHSISCHE ZEITUNG

Nichtiger Hauptsatz mit sinntragendem angehängtem Nebensatz,

1. Ebene	Hauptsatz	Damit steht fest,		
2. Ebene	Abhängigkeit 1. Grades		daß es bei den letzten beiden Abstimmungen im Plenum um den Mehrheitsentwurf der CDU/CSU,	
3. Ebene	Abhängigkeit 2. Grades			

Das einsame «anzeigt» in der 2. Ebene, Kasten 5

1. Ebene	Hauptsatz	Aufgrund solcher Daten und Prognosen stellt sich nun die Frage,	
2. Ebene	Abhängigkeit 1. Grades		ob die Tatsache,
3. Ebene	Abhängigkeit 2. Grades		
4. Ebene	Abhängigkeit 3. Grades		

n den zwei Unternebensätze eingeschoben sind
HAMBURGER ABENDBLATT)

		und den überparteilichen Gruppenantrag von SPD, FDP und Teilen der CDU,		gehen wird.
	der eine erweiterte Indikationsregelung vorsieht,		der eine Fristenlösung mit Beratungspflicht für die Frau anstrebt,	

Angela Fritz, «Lesen in der Mediengesellschaft», Wien 1989)

			anzeigt,	
	daß es in literalen westlichen Nationen Personen gibt,			daß das Lesen allgemein zurückgeht oder nur bei kleinen Randgruppen der Bevölkerung abnimmt.
		die nicht oder nur unzureichend lesen können,		

Ein derart fremdes Satzglied zwischen zwei Kommas zu setzen, hätte sich der Autor vermutlich nicht getraut; auf die naheliegende Idee, den Inhalt der Parenthese hinter den Ruhm zu schieben, war er nicht gekommen.

Die Parenthese hat noch einen dritten Nachteil: Anders als die Klammer teilt sie nicht mit, was bei ihr Anfang und was Ende ist, und leicht kann man jeden der beiden Gedankenstriche mit dem einfachen Gedankenstrich verwechseln, dem guten, dem dramatischen, der zu den fälschlich vernachlässigten Satzzeichen gehört (Regel **36**).

Regel 22: Nebensätze manchmal voranstellen

Besser als eingeschobene Nebensätze – und erfreulicherweise häufiger – sind die *vorangestellten.* Die Hauptsache dürfen sie nicht enthalten, denn die gehört in den Hauptsatz; doch mag es Nebensachen geben, die in überschaubarer und gefälliger Form auf die Hauptsache hinleiten: «Kaum hatten wir den Zug verlassen, da waren unsere Koffer weg» oder «Obwohl er eine 2 in Deutsch hatte, blieb er sitzen».

In beiden Beispielen ist der einleitende Nebensatz 9 Silben lang, bewegt sich also innerhalb der Grenzen, die das Kurzzeitgedächtnis uns zieht. Bei 12 Silben sollte jeder Schreiber, der an seine Leser denkt, mit dem einleitenden Nebensatz ein Ende machen – oder seinen Bauplan für den Satz revidieren.

Analyse einer Fehlentscheidung

Wenn ein Autor den Grund zu einer solchen Revision nicht erkennt (oder wenn er die Mühe scheut, die aus ihr folgen würde) – dann kann ein vorangestellter Nebensatz entstehen wie dieser aus der Wiener PRESSE, 53 Wörter = 113 Silben lang, das Neunfache des Zumutbaren; und der las sich so:

> Nachdem sich Unterrichtsministerin Hilde Hawlicek, *wie sie im Rahmen der Pressekonferenz betonte*, in «vielen Gesprächen», *auch mit den Direktoren der Bundestheater und mit Hilfe einer von ihr eingesetzten Kommission* ein «Bild vom Typ» des für die Jungbluth-Nachfolge zu Suchenden gemacht hatte – Typ: «Manager mit ökonomischen Kenntnissen, dynamisch, jung, gleichzeitig mit künstlerischer Sensibilität» – **wurde** im Einvernehmen mit dem Bundeskanzler aus dem «kleinen Kreis» der Infragekommenden **Rudolf Scholten** als «Mann mit den erforderlichen Qualitäten für dieses Amt» **gewählt**.

Der lange Weg zur Satzaussage (wurde... Rudolf Scholten... gewählt) wird dem Leser durch folgende Feinheiten versüßt:

- In den vorangestellten Nebensatz sind zwei Unternebensätze eingeschachtelt (hier kursiv gesetzt);
- zusätzlich eingeschachtelt ist eine Parenthese von 30 Silben (Typ: Manager...);
- die beiden Hälften des Verbums sind durch 22 Wörter = 44 Silben voneinander getrennt, dem Vierfachen des Tragbaren (Verstoß gegen Regel **27**).

Hätte der Schreiber mit dem Hauptsatz angefangen und ein wenig an seine Leser gedacht, so hätte die Aussage lauten können:

> Im Einvernehmen mit dem Bundeskanzler wurde Rudolf Scholten für dieses Amt gewählt – als «Mann mit den erforderlichen Qualitäten» aus dem kleinen Kreis derer, die in Frage kamen. Zuvor hatte sich Unterrichtsministerin Hilde Hawlicek ein «Bild vom Typ» des für die Jungbluth-Nachfolge zu Suchenden gemacht, in vielen Gesprächen auch mit den Direktoren der Bundestheater und mit Hilfe einer von ihr eingesetzten Kommission, wie sie auf der Pressekonferenz betonte. Der Typ: «Manager mit ökonomischen Kenntnissen, dynamisch, jung, gleichzeitig mit künstlerischer Sensibilität».

Umkehren auf halbem Weg!

Ein so totaler Umbau hätte Zeit gekostet; nur war es ja auch zeitaufwendig, den gedruckten Satz in seiner vielfältigen Verschachtelung zum grammatisch korrekten Ende zu führen. Spätestens auf halbem Wege könnte der Schreiber gespürt haben, wieviel Mühe es *ihn* kostet, diesen Bauplan durchzuhalten; also hätte er schon auf halbem Wege den Plan verwerfen können und damit den Zeitverlust halbiert, der durch den Umbau eingetreten wäre.

Wer sich aber auf den Leser einstellt, der prüft den Inhalt des geplanten Satzes, *bevor* er mit der Niederschrift beginnt. Dabei fällt ihm auf, daß eine solche Fülle von Aussagen nach mehreren Sätzen ruft:

die Gespräche, die Partner der Gespräche, das angesteuerte Ziel, schließlich die Ernennung. Hat der Schreiber es sich einmal zur Gewohnheit gemacht, an seine Leser zu denken und in dieser Reihenfolge vorzugehen, so braucht er wahrscheinlich kaum länger als für das Satzgebilde, das die PRESSE druckte.

Auch ein nachträglicher Umbau macht manchmal überraschend *wenig* Mühe, zumal bei den beliebten *Ob-Konstruktionen.* Da schrieb also die SÜDDEUTSCHE ZEITUNG:

> Ob der neue Vorstand mit der «Realpolitikerin» Ditfurth, dem Kooperationsgegner Trampert und einem, von dem gesagt wird, man wisse nicht ganz genau, wo er stehe (Beckmann), den Grünen das fast flehentlich beschworene Profil geben kann, **bleibt abzuwarten**.

Begänne man statt dessen mit «Es liegt auf der Hand, daß...» oder «Es bleibt abzuwarten, ob...», so hätte man den Scheinwerfer zu Anfang aufgeblendet, die Nebensatzkette angehängt und einen passablen deutschen Satz zustande gebracht; die Dürftigkeit der Aussage wäre dabei freilich noch deutlicher geworden.

Regel 23: Nebensätze meistens anhängen

Der klassische Nebensatz – nach der Logik, nach der Eleganz, nach der Häufigkeit sowieso – ist der *angehängte*: erst die Hauptsache, dann die Nebensache; erst die Handlung, dann die näheren Umstände. So gleich zweimal in Goethes schöner Formulierung über den Kölner Dom, der zu seinen Lebzeiten noch ein Torso war:

> Haben wir bisher gestaunt, daß solche Bauwerke nur so weit gediehen, so werden wir mit der größten Bewunderung erfahren, was eigentlich zu leisten die Absicht war.

Selbst drei Nebensätze können verständliches und gefälliges Deutsch ergeben, wenn sie an den Hauptsatz angehängt und untereinander elegant verkettet sind – wie in Nietzsches Bericht über sein chronisches Leiden:

> Ich wünsche niemandem das Los, an welches ich anfange mich zu gewöhnen, weil ich anfange zu begreifen, daß ich ihm gewachsen bin.

Mit dem Komma am Ende des Hauptsatzes die Satzmelodie anheben, dann sie mit dem Nebensatz ausklingen lassen – das läßt einen so angenehmen Sprachfluß entstehen, daß man die Faustregel aufstellen könnte:

> **Auf zwei Hauptsätze, zumal wenn sie kurz sind, sollte ein Hauptsatz mit angehängtem Nebensatz folgen.**

Das nachhinkende Verb

Das Lob des angehängten Nebensatzes gilt indessen nur, wenn er nicht einen von zwei beliebten Fehlern macht:

- Er darf zwar mehr als 12 Silben haben, da das Satzgerüst schon errichtet ist; beliebig lang sein aber darf er nicht – da die Grammatik das Verb im Nebensatz ans Ende zwingt, was eine frische Verwirrung hervorrufen kann.

- Er darf die Vorzüge seiner schönen Plazierung nicht durch Unternebensätze und andere Einschübe zunichte machen.

Ein klassischer Verstoß gegen die erste Einschränkung (zu lang, Verb zu weit hinten) aus der FAZ:

> ...**wie die Arbeiten** von Klaus-Detlef Müller über «Schiller und das Mäzenat», von Dorothea Kuhn über das «Rollenspiel zwischen Autor und Verleger», der ergiebige Vergleich von «Iphigenie» und «Maria Stuart» durch Peter Pütz, Wilfried Barners sachkundige Darstellung von Goethes und Schillers Briefwechsel über «Wilhelm Meisters Lehrjahre», Karl-Heinz Hahns erfrischende neue Lesarten zum Briefaustausch der beiden Klassiker, Thomas Saines unterhaltsame Deutung von Goethes «Campagne in Frankreich 1792» als Roman, Ernst Behlers ausgewogene Bestandsaufnahme der Wirkungsgeschichte von Goethe und Schiller auf die Gebrüder Schlegel und Peter Börners Skizze der «Reaktionen des Auslands auf die Großen von Weimar» nachdrücklich **belegen**.

Da muß man 97 Wörter (= 201 Silben, darunter 31 Eigennamen) überbrücken, bis das Verbum den Sinn stiftet – wie eine Karikatur auf die Karikatur, die Mark Twain auf die Stellung des Verbums im Deutschen gezeichnet hat. Und dabei hätte man nur zu schreiben brauchen: «...wie folgende Arbeiten belegen:...»

Die Liebe zum Einschub

Ein typischer Verstoß gegen die zweite Einschränkung (Einschübe sonder Zahl) aus den VEREINIGTEN WIRTSCHAFTSDIENSTEN:

> Mit der Klage greift er nach Erläuterung der Bank den Beschluß der Hauptversammlung vom 21. Mai dieses Jahres an, durch den Karl Beusch und Dr. Detlev Anderson zu Ersatzmitgliedern für den *gleichzeitig von der Hauptversammlung zum Aufsichtsratsmitglied gewählten* Cornelius J. van der Klugt bestellt worden sind **mit der Maßgabe**, daß sie ihre Stellung als Ersatzmitglied in der aufgeführten Reihenfolge zurückerlangen, sobald die

Hauptversammlung für das *durch das Ersatzmitglied ersetzte* Aufsichtsratsmitglied eine Neuwahl vornimmt.

Auf den Hauptsatz folgt ein Anhängsel von 54 Wörtern (eine Länge, die selbst bei besserem Satzbau bedenklich wäre). Ein drastischer Gewinn an Übersicht hätte sich bereits erzielen lassen, hätte man vor die Wörter *mit der Maßgabe* (im Zitat gefettet) ein Semikolon gesetzt.

Sodann müßte man die beiden Ketten von Attributen zerreißen (im Zitat kursiv): die erste aus 7 Attributen mit 18 Silben, die zweite zwar nur aus 4 Attributen mit 9 Silben, jedoch schuld an der scheußlichen Wortfolge *für das durch das*.

Was macht man mit Attributenketten? Am besten verwandelt man sie in angehängte Nebensätze. Darüber in der folgenden Regel mehr.

Regel 24: Attribute vermeiden

Attribute heißen all die Wörter, die wir zwischen das Substantiv und seinen Artikel schieben können, aber nicht sollten. Sie erschweren die Verständlichkeit so sehr und unterbrechen den Lesefluß so ärgerlich wie nur noch eingeschobene Nebensätze, ja meist noch unangenehmer als diese. Einschübe, kurz und mit Feuer gesetzt, haben ja noch Kraft und Spannung auf ihrer Seite – wie bei Heine:

> Die Juden, wenn sie gut, sind sie besser, wenn sie schlecht, sind sie schlimmer als die Christen.

Ein schönes Stück Prosa aus gereihten Attributen aber hat der Verfasser noch nie gefunden.

Die *Adjektive* müssen im Deutschen vor dem Substantiv stehen – ein Nachteil gegenüber den romanischen Sprachen, weil ich von Eigenschaften lese, noch ehe ich erfahre, welche Person oder welche Sache diese Eigenschaften hat. Mit dieser Not läßt sich indessen leben, wenn man die Regel **5** befolgt: zwei von drei Adjektiven streichen.

Wie man es auf 23 Attribute bringt

Aber nicht nur Eigenschaftswörter darf ich zwischen den Artikel und sein Substantiv klemmen, sondern Wörter aller Art – wie hier in der SÜD-WEST-PRESSE:

> Im Zusammenhang mit **der** von der Stuttgarter Staatsanwaltschaft empfohlenen, aber am Veto des Stuttgarter Amtsgerichts gescheiterten **Einstellung** des Strafermittlungsverfahrens gegen…

Da hat es der Schreiber auf 12 Attribute gebracht, 29 Silben lang, das Zweieinhalbfache des allenfalls Zumutbaren – nur daß eben Attribute dem Leser am besten niemals zugemutet werden sollten, nicht einmal 12 Silben lang. Manchmal ein Adjektiv, noch seltener zwei –

etwas anderes hat an dieser Stelle keinen legitimen Platz. Schon gar nicht die 19 Attribute mit 46 Silben wie im Aufmacher der FAZ:

> Nach dem am Freitag verkündeten Urteil des Zweiten Senats des Bundesverfassungsgerichts ist **die** Ende Juli vorigen Jahres von einer Mehrheit des Bundestages – bestehend aus SPD, FDP und etwa dreißig CDU-Abgeordneten – beschlossene **Fristenregelung** beim Schwangerschaftsabbruch nicht prinzipiell verfassungswidrig.

An einem Platz, der keinen höheren Wert als die Verständlichkeit kennen darf – der Brockhaus-Enzyklopädie –, wird ebenfalls gesündigt. Unter dem Stichwort *Jacobi, Friedrich Heinrich* taucht die Denkrichtung des Philosophen erst auf, nachdem man sich ihr 23 Attribute lang genähert hat, ohne sie sehen zu können:

> Im Gegensatz zu Kants Vernunftphilosophie... vertrat Jacobi **einen** auf dem unmittelbaren Gefühl, der Erfahrung, der Anerkennung der gegebenen Wirklichkeiten und *der* von äußeren moralischen Gesetzen unabhängigen *Personalität* des Menschen beruhenden individuellen **Realismus**, der...

Einen Realismus also, der... beruht: So einfach hätte der Satz sich formen lassen, wäre dem Schreiber nicht jedes Problembewußtsein offensichtlich fremd gewesen. Dann blieben freilich noch die 5 Attribute zweiten Grades, die zwischen *der* und *Personalität* in die übergeordnete Attributenkette gezwängt worden sind – mit einer Besessenheit, als könnte man mit jedem Attribut dem Nobelpreis für Literatur ein Stück näher rücken.

Schon mit 10 Attributen kann man die deutsche Grammatik aufs ärgerlichste überreizen, wenn man sie doppelt verschränkt wie die TAZ ausgerechnet in einer Bildunterschrift:

> **Ein** bei dem von serbischen Freischärlern in Sarajevo verübten *Massaker* **Verletzter** streckt hilfesuchend seine Hand aus.

Mit Fett- und Kursivsatz wird *hier* immer wieder versucht, Satzkonstruktionen transparent zu machen, die so viel Fürsorge nicht verdient haben. Den Leser lassen sie ja mit ihrem durchgängig geraden Magersatz allein zwischen kreuz und quer daherpolternden Wörtern, die keine Signale geben und keinen Freund auf Erden haben, vom Autor vielleicht abgesehen. Wie könnte der Bildtext heißen?

Hilfesuchend streckt ein Verletzter die Hand aus – ein Opfer des Massakers, das serbische Freischärler in Sarajevo verübt haben.

Das satzwertige Prinzip

Alles sinnwidrig Dazwischengeklemmte also sollte nachgetragen werden. Zumeist nach einem Gedankenstrich wie hier oder mit einem angehängten Nebensatz; oft auch, indem zwei oder drei Gedanken die natürlichsten aller Wege wählen: sich in zwei oder drei Sätzen niederzuschlagen (mehr dazu in Regel **35**).

Für kurze Attributketten – und auch sie sind häßlich genug – bietet sich ein weiterer Ausweg an: *Die günstiger als erwartet ausgefallene Schätzung* läßt sich erstens in das kleinere Übel eines eingeschobenen Nebensatzes verwandeln: *Die Schätzung, die günstiger als erwartet ausgefallen ist,...* Zweitens bietet sich das noch kleinere Übel des sogenannten satzwertigen Partizips an: *Die Schätzung, günstiger ausgefallen als erwartet,...* Damit sind gegenüber dem eingeschobenen Nebensatz zwei Wörter eingespart, und außer der Kürze ist auch ein wenig Kraft gewonnen.

Regel 25: Nominalkonstruktionen zerschlagen

Nomen ist ein anderes Wort für Hauptwort oder Substantiv – und die Nomina zu häufen, jenseits von Bedarf und Vernunft, eine Leidenschaft aller Bürokraten: Da treten Bestimmungen in Wegfall, und Gebühren werden in Abzug gebracht. So entstehen zwar Hauptsätze, aber solche, die Regel **19** *nicht* meinte.

Verständliches und attraktives Deutsch folgt aus dem Gegenteil: nie ein Substantiv zu verwenden, wo ein Verb an seine Stelle treten kann. Da heißt es im Programmentwurf der CDU von 1993:

> Der öffentlich-rechtliche Rundfunk kann durch eine anspruchsvolle Wahrnehmung der Versorgung in den Bereichen Bildung, Information und Unterhaltung einen unersetzlichen Beitrag für die Qualität unserer Medienkultur leisten.

Die CDU hat also die geläufigen ung-Wörter *Bildung* und *Unterhaltung* mit den scheußlichen ung-Wörtern *Wahrnehmung* und *Versorgung* angereichert, das Unwort *Bereich* hinzugesetzt und das eine zusammengesetzte Verbum *(kann… leisten)* unter 10 Substantiven begraben. Ehe man einen deutschen Satz daraus macht, sollte man sich wohl noch zu folgenden Korrekturen entschließen:

1. *Bereiche* können und sollen immer gestrichen werden (Regel **4**).
2. Ein Beitrag *für die* Qualität ist nach deutscher Grammatik ein Beitrag *zur* Qualität.
3. Ein *Beitrag zur Qualität der Kultur* kann eigentlich nichts anderes sein als ein Beitrag zur Kultur.
4. Einen *unersetzlichen Beitrag leisten können* ist eine geblähte und schiefe Ausdrucksweise für *einen Beitrag leisten müssen* oder, einfacher: beitragen müssen.

Also hätte die CDU schreiben können und sollen:

> Der öffentlich-rechtliche Rundfunk muß zur Medienkultur beitragen, indem er anspruchsvoll für Bildung, Information und Unterhaltung sorgt.

Von den 10 Substantiven sind 5 geblieben, von 27 Wörtern 17. Das *anspruchsvoll* steht noch etwas unglücklich in der Landschaft, aber um es zu streichen oder auszutauschen, müßte man über die Absichten der CDU klarer informiert sein, als sie ihre Leser zu informieren wünschte.

Aus dem Nominalstil kann sogar eine sinnwidrige Aussage folgen: **Die Werbewirkung solcher Wörter darf nicht aus ihrer Volkstümlichkeit abgeleitet werden**, schrieb die FAZ. *Die Werbewirkung* spreizte sich, als ob es sie gäbe; gemeint war aber: Wahrscheinlich gibt es sie nicht – also: «Aus der Volkstümlichkeit solcher Wörter darf nicht abgeleitet werden, daß sie werbewirksam wären.»

Weitere Rezepte dafür, wie man unmäßigen Hauptwortgebrauch vermeidet, enthalten die Regeln **6** (gegen den akademisch-bürokratischen Jargon) und **12** (Verben hofieren).

Regel 26: Präpositionen tilgen

Ein typisches und zugleich besonders häßliches Vehikel der Nominalkonstruktionen sind die gehäuften Präpositionen. Sieben davon zum Beispiel in einer Nachricht der VEREINIGTEN WIRTSCHAFTSDIENSTE:

> Eine sehr positive Bilanz *über* die Entwicklung der Gemeinschaft *in* den jüngsten vier Jahren und der Konsequenzen daraus *für* die Amtsperiode der neuen EG-Kommission *unter* seinem Vorsitz hat EG-Präsident Jacques Delors *am* Dienstag *bei* der Vorstellung des neuen Gremiums *im* Europäischen Parlament vorgelegt.

Die erste Präposition ist überflüssig, ja falsch: nicht «Bilanz *über* die Entwicklung», sondern «Bilanz der Entwicklung». Die anderen 6 sind notwendig im Rahmen des gewählten Satzmodells. Dieses Modell aber ist schlimm. Die Kernaussage lautet lediglich: *Eine sehr positive Bilanz... hat EG-Präsident Jacques Delors... vorgelegt.*

Zwischen dem vorgezogenen Objekt *(Bilanz)* und der ersten Hälfte des Verbs *(hat)* soll der Leser im Gedächtnis speichern: 24 Wörter mit 46 Silben (dem Vierfachen des Akzeptablen); darunter 4 Präpositionen *(über, in, für, unter)*, die die Brücke zu 7 Substantiven schlagen.

Zwischen die erste und die zweite Hälfte des Verbums (*hat* und *vorgelegt*) sind 15 Wörter mit 31 Silben geschoben, das Zweieinhalbfache des Erträglichen; darunter 3 Präpositionen *(am, bei, im)*, die auf 5 Substantive hinleiten.

Die gehäuften Präpositionen sind also Abzeichen eines insgesamt verquollenen Satzes und zugleich ein Warnsignal, das den Schreiber alarmieren muß – wenn er schon bis dahin keine anderen Anstöße erhalten haben sollte, seinen Satz als mißraten zu erkennen und folglich umzubauen. Aber wie?

Das Unglück des Satzes beginnt mit der Marotte der Nachrichtenagenturen, das Objekt vorzuziehen (die *positive Bilanz*) und das Subjekt *(EG-Präsident Delors)* erst 25 Wörter später aus dem Hut zu zaubern. Das verstößt gegen alle natürliche Sprache und gegen alle Regeln der Verständlichkeit (mehr darüber in Regel **30**).

Der Grund ist die Neigung der Agenturen, den gelangweilten Nachrichtenredakteur sogleich mit einem Reizwort zu kitzeln («Als einen Skandal bezeichnete...»). Den daraus folgenden Wortverhau haben die Agenturen offensichtlich bis zu dem Grade verinnerlicht, daß sie ihn auch dann errichten, wenn von Reizen keine Rede sein kann: Delors' positive Bilanz ist natürlich kein bißchen aufregender als Delors selber.

Das Unglück des Satzes setzt sich fort mit der Entscheidung, von zwei Handlungen Delors' – er legt eine positive Bilanz vor, er stellt dem Parlament die neue Kommission vor – die zweite nicht als Handlung zuzulassen: Sie wird per Präposition in eine Nominalkonstruktion weggedrückt *(bei der Vorstellung des neuen Gremiums)*. Tilgt man all diesen Widersinn, so könnte die Nachricht lauten:

> EG-Präsident Jacques Delors hat dem Europäischen Parlament am Dienstag die neue EG-Kommission unter seinem Vorsitz vorgestellt. Dabei zog er eine sehr positive Bilanz der Entwicklung der Gemeinschaft in den letzten vier Jahren und der Konsequenzen, die sich daraus für die Amtsperiode der neuen Kommission ergäben.

Statt des einen Satzes zwei, statt eines Verbums *(hat vorgestellt)* nun drei (zusätzlich *zog* und *ergäben*); statt 7 Präpositionen 4; Präpositionen tilgen heißt immer *zwei* Häßlichkeiten vermeiden: ihre Häufung als solche und den Satzbau, den sie signalisieren und ermöglichen.

Auf 12 Präpositionen brachte es die folgende Pressemitteilung der Hamburger Staatsanwaltschaft:

> R. ist angeklagt, *unter* Mitführung einer Waffe *am* 12. Februar 1993 gemeinschaftlich *mit* einem bisher unbekannten Mittäter den *von* ihm gefahrenen Geldtransporter der Firma H. *von* der vorgeschriebenen Fahrtroute abweichend abgestellt und *aus* dem Fahrzeug sechs Geldkoffer *mit* insgesamt etwa 1,3 Millionen DM *an* Papiergeld *in* den *von* seinem Mittäter herangefah-

Regel 27: Die beiden Hälften des Verbums zusammenziehen

Bisher ging es um Fragen der Einsicht: Einschachtelungen vermeiden, ob es sich um Nebensätze, Parenthesen oder Attribute handelt (Regel **20** bis **24**), Nominalkonstruktionen zerschlagen und Präpositionen tilgen (Regel **25** und **26**). Zur Einsicht gehört dann noch der gute Wille, dieser Einsicht gemäß zu handeln; die Grammatik legt dem nichts in den Weg.

Nun kommen wir zu einer Tücke der deutschen Syntax, der wir auf keine Weise ausweichen können; es bleibt uns nur, den Schaden zu begrenzen, indem wir uns bemühen, von der Grammatik einen selektiven und listigen Gebrauch zu machen.

Das leidige Umklammerungsgesetz

Die Tücke und der Schaden – das ist das sogenannte *Umklammerungsgesetz*: Besteht das Verb aus zwei Hälften wie in zwei von drei Fällen, so umklammern diese Hälften das Objekt und die Umstandsangaben. Anders ausgedrückt: Wo sich im Englischen, in den romanischen und den meisten anderen Sprachen jeder Satz frühzeitig zu seiner Aussage bekennt, müssen *wir* die erhellende zweite Hälfte des Verbs ans Satz-Ende schieben. Wir müssen schreiben:

> Ich *habe* den einzigen Schlüssel zu meinem Auto gestern irgendwo im Wald (zunächst also scheint er den Schlüssel zu *haben*; nur die näheren Umstände sprechen dafür, daß er ihn vielleicht doch nicht hat) *verloren*.

Zehn Wörter zwischen *habe* und *verloren*, den beiden Hälften des Verbums, erst im letzten Wort des Satzes die Aufklärung darüber, wie ich den Satz hätte verstehen sollen. In den anderen Sprachen hieße es: *Ich habe verloren* den einzigen Schlüssel – nun erst also das Objekt, die Zeit- und die Ortsangabe.

In zwei Hälften, die nach deutscher Grammatik auseinandergerissen werden müssen, tritt das Verb erstens auf in allen zusammengesetzten Tempora: Ich habe... verloren, ich hatte... vergessen, ich werde... verreisen; zweitens in Verbindung mit Hilfszeitwörtern (Ich soll... verfügen); drittens sehr oft auch im Präsens und im Imperfekt, und dies gerade bei vielen der schlichtesten und lebendigsten deutschen Wörter: Ich fange... an, ich gebe... auf, ich las... vor.

In der Klammer: 60 Wörter

In völliger Übereinstimmung mit der deutschen Grammatik läßt sich dieses Prinzip bis dahin treiben, daß die beiden Hälften des Verbums *(habe... verstoßen)* durch 60 Wörter unterbrochen werden (FAZ 1992):

> Die DDR **habe** durch ihr Grenzregime – wobei auch die restriktive Ausreisepraxis mit zu würdigen sei –, das der Durchsetzung des Verbots diente, die DDR ohne (nur in seltenen Fällen erteilte) Genehmigung zu verlassen, und diesem Verbot den absoluten Vorrang vor dem Leben gab, in «grober und unerträglicher Weise» gegen die allgemein anerkannten und von jedem Staat zu beachtenden Menschenrechte auf Leben und auf Freizügigkeit **verstoßen**.

Die 60 Wörter haben 119 Silben, das heißt das Zehnfache des allenfalls Zumutbaren im Sinne von Regel **18**. In den 60 Wörtern enthalten sind eine Parenthese von 9 Wörtern, eine Klammer mit 5 Wörtern und ein eingeschobener Nebensatz plus Unternebensatz von zusammen 27 Wörtern; man sieht also etliche der in den vorigen Regeln aufgespießten Torheiten des Satzbaus gemeinsam am Werk, um jenen Effekt zu erzielen, der Ausländer entmutigt, deutsche Leser verärgert oder ratlos läßt und Simultandolmetscher in die Panik treibt.

Zwar müssen wir beim Schreiben nicht primär an Ausländer und Dolmetscher denken. Doch ihre Not ist dieselbe wie die unsere, nur dem Grade nach verschieden: Wo der Dolmetscher sich windet und der Ausländer kapituliert, nehmen wir in Kauf, daß das unsägliche

Satzgebilde halb verstanden an uns vorüberrauscht – falls wir nicht auf halbem Wege jedes Interesse an ihm verloren haben.

Und was tut man dagegen?

Was folgt daraus? Nicht, daß wir die Grammatik ändern. Wohl aber, daß wir das Gesetz der 12 Silben (Regel **18**) auch hier beherzigen: Wir haben also dafür zu sorgen, daß zwischen den Verbhälften, wenn wir sie schon auseinanderjagen müssen, nicht mehr als 12 Silben stehen, das heißt im Durchschnitt 6 Wörter. Wie erreichen wir das?

1. Wir prüfen, ob wir das zu trennende Verb nicht durch ein unzertrennliches ersetzen können. So ließe sich statt «Das Buch *stellt* die Zusammenhänge zwischen… *dar*» auch schreiben: Es behandelt, beschreibt, erörtert die Zusammenhänge.

2. Wir unterlassen alle Unsitten des Dazwischenschiebens, von denen die Regeln **20** bis **26** handelten; dann rückt die zweite Hälfte des Verbums automatisch näher an die erste heran.

3. Wir nehmen möglichst viele Umstandsangaben aus der Verbklammer heraus und schieben sie ans Ende. Also nicht:

   Wir *haben* uns in der Hoffnung auf ein baldiges Wiedersehen, vielleicht schon nächstes Jahr zu Weihnachten, ohne Tränen voneinander *verabschiedet* (16 Wörter zwischen den Verbhälften)

   sondern:

   Wir *haben* uns ohne Tränen *verabschiedet*, in der Hoffnung auf ein baldiges Wiedersehen, vielleicht schon nächstes Jahr zu Weihnachten.

   In der Hoffnung, in der Absicht, nämlich, und zwar: An solche Floskeln läßt sich alles anhängen, was das Mittelfeld des Satzes beschweren würde – ein Riesengewinn an Verständlichkeit und meist auch an Eleganz.

4. Bei einer Aufzählung lassen wir die zweite Hälfte des Verbs nicht hinter allen aufgezählten Positionen herhinken, sondern wir schieben sie sogleich hinter das erste Glied; also nicht:

   Die Firma *hat* mit Lateinamerika ebenso wie mit Ostasien und Australien schon seit zwei Jahrhunderten Handel *getrieben*

   sondern:

   Die Firma *hat* mit Lateinamerika Handel *getrieben*, ebenso mit Ostasien und Australien, und das schon seit zwei Jahrhunderten.

5. Wir sollten die Chance nutzen, die zweite Hälfte des Verbums kühn nach vorn zu ziehen, vor das Objekt und die Umstandsangaben – im Deutschunterricht verpönt, aber von der Grammatik erlaubt und in aller Literatur von Heine bis heute zu Hause. Aus Gründen, die im dunkeln liegen, hat die Schulgrammatik irgendwann im 19. Jahrhundert beschlossen, sich gegen die Literatur und zugleich gegen Sprachlogik und Transparenz zu wenden, indem sie befahl, die zweite Verbhälfte an den Schluß zu schleudern.

Literatur contra Schulaufsatz

Wir müssen gar nicht schreiben: «Sie *wären* gerne von ihren goldenen Stühlen *aufgestanden*» – denn bei Heine heißt es: Sie wären gerne aufgestanden von ihren goldenen Stühlen, und fast immer schreibt er so. Bei Schiller sagt Karl Moor: Ich soll meinen Leib pressen in eine Schnürbrust und meinen Willen schnüren in Gesetze (das Objekt, der Leib, ist dazwischengeschoben, drei Silben lang, aber die Umstandsangaben sind aus der Satzklammer herausgenommen – die rettende Idee).

Die meisten Schriftsteller wählten und wählen diese Form, die so logisch und so leserfreundlich ist, und mit ihnen in der SÜDDEUTSCHEN ZEITUNG die Star-Autoren der Seite drei. Thomas Mann: Liebe kann nicht unkörperlich sein in der äußersten Frömmigkeit. Hans Magnus Enzensberger: Natürlich dürft ihr keine Angst haben vor dieser oder jener Partei.

Niemand hindert uns, dieses Satzbaumodell auf den Alltag zu übertragen. Man braucht nicht zu schreiben:

> Die deutsche Industrie *sieht sich* für den EG-Binnenmarkt angesichts der positiven Tendenzen der letzten Monate alles in allem gut *gerüstet*.

Da liegen 15 Wörter = 30 Silben zwischen den Hälften des Verbums; es könnte doch einfach heißen:

> Die deutsche Industrie *sieht sich* alles in allem gut *gerüstet* für den EG-Binnenmarkt, zumal angesichts der positiven Tendenzen der letzten Monate.

Vier Silben nur trennen die Verbhälften. Oder:

> Angesichts der positiven Tendenzen der letzten Monate *sieht sich* die deutsche Industrie alles in allem gut *gerüstet* für den EG-Binnenmarkt.

Zwölf Silben zwischen den Verbhälften, noch diskutabel. Der EG-Binnenmarkt kann und sollte in jedem Fall aus der Satzklammer hinausgeschoben werden; die Operation ist bescheiden, der Gewinn für den Leser groß.

Regel 28: Subjekt und Prädikat zusammenschieben

Wie die beiden Hälften des Verbs, so dürfen wir auch die beiden regierenden Wörter des Satzes beliebig weit auseinanderreißen: Subjekt und Prädikat, Satzgegenstand und Satzaussage. Oft wird uns diese wiederum widersinnige Wortstellung vom Deutschunterricht zur Pflicht gemacht – von der Grammatik nicht.

«Sein Haus ist abgebrannt», das ist die einfachste Verbindung von Subjekt und Prädikat. «*Sein Haus*, in das er so viel Geld und Liebe investiert hat, *ist* gestern trotz eines Großeinsatzes der Feuerwehr vollständig *abgebrannt*» – das ist korrekt, aber unerwünscht: Denn auf das Subjekt (*sein Haus*) folgt erst 10 Wörter später die erste Hälfte des Prädikats (*ist*) und weitere 7 Wörter später die zweite (*abgebrannt*).

Hier liegt also die andere Form der deutschen Umklammerung vor: Von den beiden Wörtern des Satzes, die die Aussage tragen, steht eines am Anfang und das andere am Ende – manchmal so weit entfernt, daß die beiden einander nicht mehr zuwinken können. Selbst 67 Wörter kann man dazwischenschieben; der FAZ ist es gelungen:

> *Die Kaltluft*, die aus dem Osten kam, die nicht allein den Italienern einen ungewohnten Winter brachte, sondern auch bis ins sonst so milde West-Frankreich, bis nach Bordeaux, vordrang, die den Briten bisher den meisten Schnee bescherte (weil sie dort mit feuchter Meeresluft kollidierte), *diese Kaltluft*, die zuvor die Griechen im äußersten Süden nicht verschont hat und mittelbar wohl selbst noch das Flugwetter über dem Kriegsgebiet der arabischen Halbinsel beeinflußte, *hat einen langen Weg hinter sich*.

67 Wörter = 115 Silben, das Zehnfache des Annehmbaren; in einem Satz, dessen schlichte Aussage «Die Kaltluft hat einen langen Weg hinter sich» in einer Sturzflut von eingeschobenen Nebensätzen untergeht. Italien, Frankreich, England, Griechenland und Arabien stel-

len darin ihr Wetter vor, wie schön, fünf zusätzliche Sätze hätte der Verfasser daraus formen können – vorausgesetzt, er hätte seine Wissensfülle ein wenig gliedern wollen, seinen Lesern zuliebe.

Halten wir uns an die Sitten des Deutschunterrichts, so können wir Subjekt und Prädikat zwar erheblich näher aneinanderschieben – ganz zusammenbringen aber nicht. Woraus, wie schon bei den geteilten Verben in Regel **27**, die Frage folgt, ob wir uns nicht wiederum lieber an die Dichter halten sollten. Deutschaufsatz:

> Ich habe in meiner Jugend noch so viel von der lieben alten Zeit gesehen, daß *ich mich* über die protzigen Kaffee- und Bierpaläste, über die Gotik des Rathauses und die Niedlichkeit des Glokkenspiels und über so vieles andere, was unserem München seine Eigenart genommen hat, *ärgern darf.*

Ludwig Thoma dagegen hat es nicht hingenommen, daß in diesem Satz Subjekt und Prädikat um 28 Wörter auseinandergerissen worden wären; er hat geschrieben:

> Ich habe in meiner Jugend noch so viel von der lieben alten Zeit gesehen, *daß ich mich ärgern darf über*...

Und nun erst läßt er die Gegenstände seines Ärgers folgen. Fast alle Schriftsteller schreiben so. Heine: «Da ist jeder hoffähig, der keine Mesalliance *geschlossen hat mit* der Lüge.» Gottfried Keller: «Sie hörten die Lerchen *singen über sich*» Ingeborg Bachmann: «...daß ihr nie *einverstanden wart mit* euch selber.» Und dies, obwohl die konventionelle Wortstellung nur ein geringes Auseinanderschieben von Subjekt und Prädikat bedeutet hätte, um drei Wörter, bei «singen über sich» sogar nur um zwei.

Um so dringlicher – und hoffentlich um so einleuchtender – wird der Rat, eine Trennung durch mehr als 6 Wörter (= 12 Silben) zwischen Subjekt und Prädikat nicht zuzulassen.

Regel 29: Falschen Zwischensinn vermeiden

Wie stellt man die volle Klarheit her – das Ziel, das doch, zusammen mit der Wahrheit, das höchste sein sollte für jeden, der etwas mitzuteilen hat?

Man wählt, zum ersten, die richtigen *Wörter*, vor allem im Sinne der Regeln **6** (kein Fachjargon), **8** (keine Silbenschleppzüge), **10** (konkrete Wörter), **15** (keine Synonyme für tragende Begriffe) und **16** (keine Fremdwörter, wenn sie exotisch klingen oder schwer verständlich sind).

Man baut, zum zweiten, die richtigen *Sätze*. Der Schreiber vermeidet es strikt, den Leser Zeile um Zeile im unklaren zu lassen über den Sinn seines Satzes. Zu solcher Unklarheit führen vor allem eingeschobene Nebensätze (**21**), gehäufte Attribute (**24**), zerrissene Verben (**27**) oder das nachhinkende Prädikat (**28**).

Drei Wege, die in die Irre führen

Aber da sollte noch mehr geschehen. Beginnen wir mit dem Punkt, wo die Ratlosigkeit des Lesers zur totalen Verwirrung gesteigert wird. Daß der Sinn eines Satzes sich erst kurz vor seinem Schluß erschließt, ist ja noch nicht der schlimmste Fall. Ärgerlicher sind folgende drei Satzmodelle:

1. Auch wer den Satzschluß erreicht hat, ist über die Aussage des Satzes nicht aufgeklärt. **Die Fechterin, die Chefbundestrainer Beck kritisiert hat...** hieß es in einem Sportbericht. Von dreihundet Versuchspersonen meinten 55 Prozent, die Fechterin habe den Trainer kritisiert, 27 Prozent, der Trainer habe die Fechterin kritisiert, und 18 Prozent verzweifelten an jeder Deutung (TEXTEN UND SCHREIBEN).

2. Nur eine Minderheit kann den Sinn verstehen: Daß *jener* sich auf den zuvor Erstgenannten, *dieser* auf den Zweitgenannten bezieht, ist allenfalls Bildungsbürgern noch geläufig; und gern lesen die meisten von diesen es trotzdem nicht – zum Beispiel wenn sich in «Wilhelm Meisters Lehrjahren» drei Figuren über die Frage unterhalten, welch ein Unterschied sich zwischen einem edlen und vornehmen Betragen zeige, und inwiefern jenes in diesem, dieses aber nicht in jenem enthalten zu sein brauche (zitiert in Regel **10**).

   Der *erste* und der *zweite* an die Stelle von dieser und jener zu setzen wäre ein Fortschritt, aber keine Lösung: Zwar kann es nun jeder verstehen, oft aber nur um den Preis des Zurücklesens – und wer will das schon?

3. Auf halbem Weg gaukelt der Satz dem Leser einen Sinn vor, den er *nicht* hat – der Kernpunkt dieser Regel.

   Durch keine grammatische Absicht lassen sich Leser ja daran hindern, im Dickicht eines typischen deutschen Satzes eine Vermutung darüber anzustellen, zu welcher Lichtung dieser Weg wohl führen wird. Vom Schreiber oft genug allein gelassen, leisten sie sich eine Bedeutungserwartung, sie bauen sich einen *Zwischensinn* auf – und wehe, wenn der falsch ist! Dann fühlt sich der Leser vom Schreiber verschaukelt, und zwar zu Recht.

Betrachten wir unter diesem Aspekt noch einmal das Beispiel Schlüssel aus Regel **27** (die vermutliche Vermutung des Lesers in Klammern gesetzt):

Ich habe den Schlüssel zu meinem Auto (wie schön, er hat ihn!) *gestern* (wieso gestern? Wer ihn hat, hat ihn heute! Erstes Mißtrauen stellt sich ein) *irgendwo im Wald* (oh! Offenbar hat er ihn nicht!) *verloren* (richtig! Das hätte er doch gleich sagen können).

Kündigt er – oder kündigt er an?

Falscher Zwischensinn wird also begünstigt durch die vielen Verbformen, die uns nach deutscher Grammatik das Auseinanderschleudern zweier Hälften aufnötigen (Regel **27**). Die Gefahr ist dann besonders groß, wenn die erste Hälfte schon für sich genommen einen Sinn ergibt: *Ich kündige…* kann einen Satz einleiten, in dem jemand sein Arbeitsverhältnis auflösen will, ja schon diese beiden Wörter stellen einen sinnvollen Hauptsatz dar; doch ebenso kann es weitergehen… *hiermit meine Vermählung an.*

Die Wörter *Die Mitschüler schlugen ihn…* ergeben erstens Sinn ohne Fortsetzung, könnten zweitens ergänzt werden durch *grün und blau* und sich drittens fortsetzen mit *zum Klassensprecher vor.* Zwei von drei möglichen Deutungen lauten also, daß sie ihn *geschlagen* haben – nur die dritte, daß sie ihn *vorgeschlagen* haben, und dies erst mit der letzten Silbe.

Daß sich der Irrtum aufklärt, ist kein ausreichender Trost. Auch nicht eine Sekunde lang sollte man seine Leser auf eine falsche Fährte führen – es sei denn in kabarettistischer Absicht. Überdies machen viele Schreiber nur zu gern von der grammatischen Möglichkeit Gebrauch, die Auflösung des Verwirrspiels kunstvoll hinauszuzögern mit Hilfe eingeschobener Nebensätze oder gehäufter Attribute, und spätestens dann hört jede Nachsicht auf – nach dem Muster einer Unterzeile in der ZEIT:

> Noch nach 1945 *versagte* die Kirche, die Ausgebombten, Vertriebenen und auch Entnazifizierten half, den überlebenden Juden *die Zuwendung.*

Wer seine Leser besonders lange Zeit an der Nase herumführen möchte, dem bietet sich als Nasenring das nachhinkende *nicht* an. Nachrichtensprecher lieben die törichte Wortstellung: «Bei Verhandlungen konnte ein Fortschritt» (wie schön!) «nicht erzielt werden.» Zu höchster Verfeinerung brachte es das LUXEMBURGER TAGEBLATT:

> Als Touristenattraktion, die auch die Einwohner zu gelegent-

lichen Besuchen reizen kann (was es für ein paar hundert Millionen weniger auch tun würde), erhöht das «Musée d'histoire de la ville de Luxembourg» die Lebensqualität der Stadt-Luxemburger, die es ja finanzieren müssen, letztendlich nicht.

Das Museum ist eine Touristenattraktion, wollte der Schreiber sagen; *aber die Lebensqualität der Luxemburger...* Das *aber* würde den Leser beizeiten auf das *nicht* einstimmen, das nun einmal schwer nach vorn zu kriegen ist; es sei denn mit der *Ausdrucksstellung*: Erhöht wird der Reiz für Touristen; nicht erhöht wird die Lebensqualität der Luxemburger. (Mehr über diese Ausdrucksstellung in der folgenden Regel.)

Eine nachgeschobene Verneinung läßt sich immer vermeiden. Der Satzbau ...*schlugen ihn zum Klassensprecher vor* dagegen ist schwer zu umgehen – am einfachsten noch durch eine Passivkonstruktion, vor der wiederum in Regel **13** aus anderen Gründen gewarnt wurde: *Er wurde von seinen Mitschülern zum Klassensprecher vorgeschlagen.*

Was bleibt dem Schreiber, der seinen Lesern Verwirrung ersparen will? Daß bei ihm die Alarmglocken schrillen, so oft er fahrlässig einen falschen Zwischensinn angeboten hat; daß er sich also um eine andere Wortstellung bemüht. Wenn die aber der Grammatik auf keine Weise abgelistet werden kann, dann sollte der Autor mindestens jeden Einschub weglassen, der die Entfernung zwischen falschem und richtigem Sinn vergrößern würde.

Regel 30: Die Satzglieder sinnvoll plazieren

Hat man seinen Satz durchsichtig aufgebaut und nichts auseinandergerissen, was zusammengehört, hat man falschen Zwischensinn vermieden und schlichte, konkrete Wörter gewählt – so kann man immer noch in die Falle stolpern, die Wörter in eine sinnwidrige oder ermüdende Reihenfolge gebracht zu haben. Es ist natürlich zweierlei, ob ich schreibe: *Die Tschechen werden auch die Löhne anheben* (also nicht nur die Gehälter) oder *Auch die Tschechen werden die Löhne anheben* (nicht nur die Slowaken).

Die häufigsten Mißverständnisse folgen aus der unüberlegten Plazierung des Objekts. Der normale Satz beginnt mit dem Subjekt (Der Hund) und setzt sich fort mit dem Prädikat (Der Hund bellt) oder mit Prädikat und Objekt (Der Hund biß den Briefträger). «Den Briefträger biß der Hund» sagt und schreibt kein Mensch. Mit dem Objekt darf der Satz nur in begründeten Ausnahmefällen anfangen (so wie hier, weil die Wörter *Mit dem Objekt* den Ton auf sich ziehen sollen).

Wann steht das Objekt vorn?

Von dieser Grundregel darf nicht nur, oft muß auch von ihr abgewichen werden. Das klassische Beispiel dafür ist die Parlamentsdebatte. Ob der Satz, vor allem der neue Absatz, mit dem Subjekt oder mit dem Objekt beginnt, entscheidet sich da allein nach der Frage, welches von beiden das Neue ist.

Spricht drei Absätze lang Bundeskanzler Kohl, so *darf* der zweite und der dritte Absatz nicht mit Kohl beginnen; am Anfang *muß* Kohls neues Thema stehen: «Zur Rentenreform sagte der Bundeskanzler…» Allein diese Wortstellung macht klar, daß der Redner bleibt und sein Thema wechselt.

Äußert sich aber nach dem Bundeskanzler der Oppositionsführer zur Rentenreform, so *muß* der Absatz mit ihm beginnen: «Klose sagte zur Rentenreform…» Allein diese Wortstellung macht deutlich, daß das Thema bleibt und der Redner wechselt.

Gegen dieses Gesetz der Vernunft und der Psychologie des Lesens wird von Journalisten oft verstoßen; Verwirrung folgt daraus. Es ist nicht erträglich, daß Kohl zur Rentenreform etwas zu sagen scheint, was ich von ihm nie erwartet hätte – bis ich am Ende des Zitats erfahre, daß längst Klose spricht.

Was für den Anfang von Absätzen eine Regel ohne Ausnahme sein sollte, gilt (mit Ausnahmen) auch für den Anfang aller Sätze eines Textes. Hat die Nachricht mit den Worten begonnen: Hessens Ministerpräsident Eichel (SPD) erwartet… so ist das immergleiche Subjekt als Satzanfang durchweg entbehrlich und in der Häufung ärgerlich: Eichel sagte, Eichel sprach von, der Ministerpräsident verwies auf, Eichel nahm, Eichel rief auf und Eichel verteidigte, hieß es in einem Einspalter in der FAZ.

Wer da redet, muß zwar gelegentlich in Erinnerung gerufen werden (etwa in jedem dritten Satz, besagt eine gute journalistische Faustregel), aber über was er redet – *das* gehört an den Anfang der Sätze: «Die Opfer von Solingen würden nicht die letzten sein», fügte Eichel hinzu.

Wechsel im Satzbau ist gefragt

Mehrere Sätze hintereinander mit demselben Subjekt zu beginnen hat zwei Nachteile: Es setzt sinnwidrige Akzente, denn mit dem Neuen, nicht mit dem Alten sollte der Satz ins Leben treten; es schläfert also den Leser ein. Diese Wirkung verstärkt sich noch durch die monotone Wiederholung derselben Satzmelodie: Subjekt – Prädikat – Objekt, das ist spätestens beim drittenmal ermüdend; sogar dann, wenn das Subjekt wechselt:

> Er hatte lange für die Reise gespart. Sie führte ihn durch ganz Amerika. Der Heimflug sollte erst Anfang Dezember stattfinden.

Statt dessen könnte man beispielsweise formulieren:

Lange hatte er auf diese Reise gespart. Sie führte ihn durch ganz Amerika. Den Heimflug wollte er erst Anfang Dezember antreten.

Im dritten Satz ist das Objekt vorgezogen (Den Heimflug), im ersten das Subjekt hinter das Prädikat gerückt (hatte er) – unter Ausnutzung einer Besonderheit des Deutschen: der ungeraden Wortstellung oder *Inversion*, die immer dann eintritt, wenn wir den Satz mit einer Umstandsangabe beginnen – den Umständen der Zeit (Gestern war ich...), des Ortes (Nach Frankreich möchte ich...), der Art und Weise (In einem Wutanfall warf er...). Mithin ließe sich in dem obigen Beispiel auch formulieren: Erst Anfang Dezember wollte er... und sogar: Durch ganz Amerika führte ihn...

Doch dreimal hintereinander *nicht* mit dem Subjekt anzufangen wäre sehr eigenwillig und auf andere Weise ermüdend. Wechsel im Satzbau! Erster Satz: Zeitbestimmung – Prädikat – Subjekt; zweiter Satz: Subjekt – Prädikat; dritter Satz: Objekt – Prädikat – Subjekt; so sieht eine gefällige Abfolge aus.

Wann darf der Satz nicht mit dem Objekt beginnen?

Das Objekt als Satzanfang sollte jedoch in zwei Fällen unbedingt vermieden werden:

1. Wenn es nicht sogleich als Objekt erkennbar wird. «Den Heimflug wollte er...» Da ist alles klar. Erst vom Satz-Ende her dagegen läßt sich das Objekt einordnen in einem Satz wie diesem: Die verbraucherfreundliche Entwicklung der Nahrungsmittelpreise in den vergangenen Jahren (hält an?) Nein: hebt das Institut der Deutschen Wirtschaft hervor (VWD). 7 Wörter lang, von *Entwicklung* bis *das Institut*, wird der Leser in dem Glauben gelassen, der Satz habe mit dem Subjekt begonnen – wie es seiner natürlichen Erwartung entspricht.

   Wer diese Erwartung stören will, ist darauf angewiesen, daß der Akkusativ sich sichtbar vom Nominativ unterscheidet; und allzuhäufig tut er das nicht. Nie im Plural: *Die Männer prüfen ihn – Die*

Männer prüft er. Auch in der Einzahl nicht bei weiblichen und sächlichen Substantiven: *Die Frau schlägt vor – Die Frau schlage ich vor. Das Kind weint – Das Kind weinen zu sehen tut mir weh.* Und schließlich nicht bei Eigennamen: *Erich würde sie heiraten.* Der Erich sie oder sie den Erich? Solche Sätze bleiben doppeldeutig bis zum Schluß.

2. Mit dem Objekt zu beginnen verbietet sich zum anderen dann, wenn das Objekt zwar sogleich als solches identifizierbar ist, das erhellende Subjekt sich aber erst am Ende einer Satzschlange zu erkennen gibt – die Marotte der Nachrichtenagenturen (Regel **26**): «Als einen Skandal, wie er in der deutschen Nachkriegsgeschichte noch nicht dagewesen sei, bezeichnete...» Es lohnt sich, den schlimmen Satz aus der FAZ am Anfang von Regel **17** in diesem Zusammenhang noch einmal aufzuschlagen: 34 Wörter nach dem einleitenden Dativobjekt taucht das Subjekt aus dem Sprachsumpf auf.

Lob der Ausdrucksstellung

So heißt in der Stilistik ein Satzanfang, der grammatisch korrekt, aber durchaus ungewöhnlich ist und dadurch alle Aufmerksamkeit auf sich zieht. Mit dem Objekt zu beginnen ist die geläufigste und daher noch nicht sehr auffallende Art, die Erwartung des Lesers absichtlich zu verletzen. Unter einer Ausdrucksstellung im engeren Sinn versteht man seltenere Plazierungen, etwa von der Art: «Erschlagen könnte ich ihn!» Wo solcher Nachdruck erwünscht oder dem Verständnis dienlich ist, sollte man ihn setzen; nicht so oft wiederum, daß er als Masche erscheinen könnte – also wohl höchstens einmal pro Schreibmaschinenseite.

«Alle glücklichen Familien sind einander ähnlich», beginnt Tolstois «Anna Karenina»; und nach einem Semikolon geht es (in der geläufigen Übersetzung) weiter: «unglücklich ist jede Familie auf ihre eigene Art.» Hier mit «alle unglücklichen Familien –...» oder gar mit «jede Familie...» zu beginnen hieße erschwertes Verständnis und zerstörte Kraft.

Niemals sollte sich die Plazierung der Wörter im Satz allein an der grammatischen Routine ausrichten; und alle bisherigen Regeln über den verständlichen Satzbau sind durch eine kluge Antwort auf zwei Fragen zu ergänzen: Welche Akzentuierungen sind es, nach denen meine Aussage ruft? Und wie vermeide ich es dabei, meine Sätze über einen Knüppeldamm holpern zu lassen?

Regel 31: Lieber ja als nein sagen

Eine dreifache Verneinung ist unerträglich, eine doppelte problematisch, schon das einfache Nein oder Nicht durchaus nicht ideal.

Unsere Erwartungen sind auf das Ja gerichtet. Vom Ja wird unsere Aufnahmefähigkeit am raschesten bedient: «Ich komme», «Die Sonne scheint». Man braucht nicht zu schreiben – und wenn man ohne Umweg verstanden werden will, sollte man nicht schreiben: «Fritz ist nicht gesund»; die natürliche, am leichtesten eingängige Art, diesen Tatbestand mitzuteilen, lautet: «Fritz ist krank.» Wer den Unterschied zwischen den beiden Aussagen als minimal, als geradezu lächerlich gering empfindet – der muß sich fragen lassen, ob ihm nicht der allzu häufige Umgang mit intellektuellen Redensarten wie *nichts für ungut* oder *alles andere als* den Blick für eine Grundtatsache der Kommunikation verstellt: Der direkte sprachliche Zugriff auf einen Sachverhalt lautet stets «So ist es!» und nicht «So ist es nicht».

Natürlich muß dieses *nicht* erlaubt bleiben; wer aber nicht literarische Absichten verfolgt, sollte es nur verwenden, wenn er eine offensichtliche Erwartung ausdrücklich durchkreuzt: «Ich komme nicht.»

Vielleicht wird das Problematische am Neinsagen deutlicher an einem Fall wie diesem: Wer von «der zunehmenden Nichtachtung der Ausländer» berichtet, hat mitgeteilt, daß das Nichtvorhandene (die Achtung) mehr wird (die Zunahme); er hat also die Logik bis zu dem Grade strapaziert, daß etwas psychologisch Widersinniges dabei herausgekommen ist. «Die abnehmende Achtung der Ausländer», das wäre es.

Die Tücken der doppelten Verneinung

Besonders heiß ist das Pflaster der *doppelten* Verneinung («Fritz ist nicht unvermögend»). Heiß aus drei Gründen:

1. In allen Dialekten wird das erste Nein vom zweiten nicht etwa aufgehoben, wie die Logik es zu verlangen scheint, sondern im Gegenteil bekräftigt: «I hob koa Geld net.» Und auch Benutzer der Hochsprache verwenden Redensarten wie «Nichts Genaues weiß man nicht», obwohl das nach ihrer sonst angewandten Logik bedeuten müßte: «Man weiß alles.»

2. Sobald sich korrekte doppelte Verneinungen außerhalb des Gewohnten bewegen, fordern sie selbst uns Logikern unter den Lesern eine Denkarbeit ab, die (im Geiste der Regeln **1** und **2**) der *Schreiber* hätte leisten sollen. Auch *ohne* die Reportage *trotz des Verbots* auszustrahlen, hätte das Westschweizer Fernsehen ein Zeichen setzen können, schrieb die NEUE ZÜRCHER ZEITUNG.

3. Etliche Politiker, Journalisten und sogar Dichter – Leute also, die sich auf ihren logischen Umgang mit der Sprache etwas zugute halten – meistern die doppelte Verneinung nicht. Der Informationsdienst MEDIEN-KRITIK rügte ein mangelndes Demokratie-Defizit, obwohl er den Mangel an Demokratieverständnis meinte. Der ehemalige Bundesverteidigungsminister Hans Apel versicherte im Bundestag, Deutschland habe dem Gewaltverzicht abgeschworen. Wolf Biermann sagte 1993, als er den Heine-Preis entgegennahm: Unsere winzige Erde wollen wir davor bewahren, daß sie nicht vollends zur Hölle wird. Davor bewahren, daß sie *nicht* zur Hölle wird – das heißt leider: dafür sorgen, daß sie zur Hölle wird.

Zur *ironischen* Verwendung dagegen ist die verschachtelte Verneinung bestens geeignet. Heine rühmte am Grafen Platen den «Überfluß an Geistesmangel» und Friedrich Sieburg an seinem Journalisten-Kollegen Erich Kuby «einen überwältigenden Mangel an Schüchternheit».

Die Tücken der Ironie

Leider muß unser Vermögen an solchen Formulierungen mit einer Warnung einhergehen: Ironie heißt Doppelbödigkeit, ein Hintersinn, der meist auf das Gegenteil des vordergründigen Sinnes zielt. Damit ist ein schwerer Nachteil verbunden: Es ist gesicherte Erfahrung, daß die meisten Leser die Ironie viel seltener erkennen, als die meisten Schreiber sie zu verwenden lieben. Wer eindeutig verstanden werden will, muß also auf Ironie verzichten, es sei denn, der ganze Text wäre als Satire identifiziert. (Mehr in Regel **41**.) Vor dem doppelten Nein aber sei jeder Schreiber in jeder Art von Text gewarnt.

Regel 32: Sagen, wer wer ist

Ein Bettler hat gestern die Passanten in der Münchener Fußgängerzone drei Stunden lang in Atem gehalten. Der 53jährige Josef Lauser...

So beginnt ein typischer Zeitungstext. Aus dem zweiten Satz soll der Leser *schließen*, daß Josef Lauser eben jener Bettler sei, von dem im ersten Satz die Rede war. Logisch zwingend aber ist der Schluß keineswegs, es könnte sich durchaus um zwei verschiedene Personen handeln. Obendrein ist es ein bißchen dreist, dem Leser einen Schluß zuzuschieben, den der Schreiber selber hätte ziehen können und sollen.

Derselbe Zeitungsschreiber würde in keinem privaten Brief diese Unsitte praktizieren; in spontaner Rede ist dergleichen sowieso unbekannt. Die Nachrichtenagenturen haben sich solchen Stilkrampf ausgedacht – vermutlich, um die ein oder zwei Wörter zu sparen, die eine unverkrampfte Formulierung zusätzlich erfordern würde: Begänne man «Der 53jährige Bettler Josef Lauser» oder «Ein Bettler, der 53jährige Josef Lauser», so müßte man ja im zweiten Satz entweder das Wort «Lauser» oder das Wort «er» oder die Wörter «der Bettler» wiederaufnehmen – wie schrecklich! Und wie *normal.*

Wer hat da gesprochen?

Ein vergleichbares Ärgernis bieten die Nachrichtenagenturen mit einem Textbeginn von folgender Art: Zum Weg in die Europäische Gemeinschaft gibt es keine Alternative. Bundeskanzler Kohl sagte gestern in Darmstadt... Wieder wird der Leser einer Mutmaßung überlassen, die nach Sprachlogik und Lesepsychologie durchaus nicht zwingend ist: daß nämlich der erste Satz von Kohl gesprochen worden sei. Die Verbindung hat hergestellt zu werden, ohne Wenn und Aber – entweder, indem der erste Satz um die Wörter «..., sagte

Bundeskanzler Kohl» verlängert wird oder indem der zweite Satz mit den Wörtern «Dies sagte...» anfängt.

Was spricht gegen eine Biographie?

Der Verdruß läßt sich noch steigern, wenn man den zweiten Satz benutzt, um ein biographisches Detail unterzubringen, das, anders als in den bisherigen Beispielen, zur Identifizierung der handelnden Person nichts beiträgt – wie in einem Porträt des SPD-Politikers Peter Struck in der FAZ:

> Als Sohn eines Autoschlossers wurde Struck 1943 in Göttingen geboren. Der Student der Rechtswissenschaften trat 1964 der SPD bei.

Wer ist denn das nun wieder, dieser Student der Rechtswissenschaften? darf der Leser fragen. Welcher Teufel hat den Schreiber geritten, daß er nicht die allein natürliche Mitteilungstechnik wählte: «...in Göttingen geboren, studierte Rechtswissenschaften, trat 1964...»?

Offenbar sehen die meisten Journalisten eine unüberwindliche Hürde darin, die Vorgeschichte eines Menschen, über den sie schreiben, in einem Absatz zu versammeln; sie erlegen sich statt dessen die Verkrampfung auf, diese Vorgeschichte auf möglichst viele falsche Stellen zu verteilen – wie hier der SPIEGEL in einem Porträt eines ehemaligen Majors der Volkspolizei, Ulrich Gau:

> Bislang war *der Vater von fünf Kindern* mit früheren Genossen ebenso auf du und du wie mit Wessis aus der Standortverwaltung. Und auch in Bad Blankenburg, wo *der gebürtige Königsberger* bis vor 15 Jahren gewohnt hatte, besitzt er noch einen guten Leumund. «Der Uli», sagt ein älterer Mitarbeiter des städtischen Wohnungsamts, «war mit mir bei der NVA. Ein feiner Kerl.» Dabei ist keineswegs ausgemacht, wie lange das die Leute über den *unprätentiösen Sproß aus einem antifaschistischen Elternhaus* noch sagen werden. Denn *den gelernten Maschinenschlosser mit Mittelschulbildung* hat ein bald 36 Jahre zurückliegendes Ereignis eingeholt...

Fünf Einzelheiten an der falschen Stelle eingestreut, und nicht nur das: dabei auch noch die Chronologie auf den Kopf gestellt. Der Absatz beginnt ja mit dem mutmaßlich spätesten Faktum, den fünf Kindern. Er setzt sich fort mit dem frühesten, der Geburt in Königsberg. Darauf folgt, insoweit immerhin vernünftig, das Elternhaus; nun aber kommt erst die Lehre und zum Schluß die Schulbildung; die zeitliche Abfolge der biographischen Notizen ist also 5 – 1 – 2 – 4 – 3. Was hinderte eigentlich den Schreiber an einem bescheidenen Quantum Normalität? So etwa:

> In Königsberg geboren, wuchs Gau in einem antifaschistischen Elternhaus auf. Er besuchte die Mittelschule und machte eine Lehre als Maschinenschlosser. Er hat fünf Kinder.

Nicht, daß dies eine besonders elegante Lösung wäre. Doch normal ist sie, unverkrampft ist sie; und interessanter war Gaus Leben eben nicht.

Was vermag ein Bart zu leisten?

Die Manie steigert sich zur schieren Albernheit, wenn ein biographisches Detail nicht an einer sinnlosen Stelle in den Text gestopft wird wie in den bisherigen Beispielen, sondern schlimmer: wenn es einen Sinnzusammenhang nahelegt, den es nicht hat – wie in FOCUS über den 1993 frisch gewählten SPD-Vorsitzenden Rudolf Scharping:

> Seine Partei hat der bedächtige Bartträger («Ohne Bart bin ich nicht, was ich bin») fest im Griff.

Hier entsteht der Eindruck, daß Scharpings Bart einen Beitrag zu seiner Autorität leiste – wie schon seine Bedächtigkeit ein Beitrag zu seiner Barttracht gewesen sein müßte; falls man dem Schreiber unterstellen möchte, daß er in Zusammenhängen denken kann.

Sind Beamtensöhne heftiger getretene Kreaturen als die Kinder von Arbeitern oder Angestellten? Die ZEIT legte diesen Kausalzusammenhang 1993 nahe in ihrem Nachruf auf den Schauspieler Hans-Christian Blech:

> Die getretene Kreatur: Wer hätte sie besser verkörpern können

als der am 20. Februar 1915 in Darmstadt geborene Sohn eines Beamten.

Wer Wasserball gespielt hat, besitzt mehr Selbstbewußtsein – ließ sich dem HAMBURGER ABENDBLATT entnehmen, als es den neuen Mercedes-Chef Helmut Werner vorstellte:

An Selbstbewußtsein fehlt es dem früheren Mitglied der Wasserball-Nationalmannschaft und ehemaligen Chef des Reifenherstellers Conti sicherlich nicht.

Wer aber geschieden ist und einen Sohn hat, der kann keine weiße Weste haben – eine Schlußfolgerung, die dasselbe Blatt 1993 seinen Lesern in einem Porträt Oskar Lafontaines nahelegte:

Ob die Weste des 49jährigen zweimal Geschiedenen und Vater eines Sohnes weiß ist, bezweifeln seine Gegner.

O ihr Schreiber, entkrampft euch doch! Keiner von euch würde über einen Menschen je in solcher Form erzählen. Es ist die gleiche Künstlichkeit: Wie ihr fünf Informationen über eine Sache, die nach fünf Sätzen rufen, am liebsten zu einem Wortkonglomerat in einem Satz verschachtelt – so verteilt ihr fünf Informationen über eine Person, die nach einem biographischen Absatz schreien, auf fünf Stellen eures Textes. Bestenfalls stehen sie dort sinnlos herum, oft genug aber produzieren sie das traurigste, was einem Schreiber widerfahren kann: unfreiwillige Komik.

Regel 33: Sagen, was was ist

Als die Feuilletons unserer großen Zeitungen 1993 *Henry James* aus Anlaß seines 150. Geburtstags würdigten, unterließen es mehrere, auch nur ein einziges Mal zu erwähnen, daß es sich um einen amerikanischen Schriftsteller handelt. Die Redaktion traute ihren Lesern offensichtlich zu, daß sie Henry James ebenso selbstverständlich einordnen könnten wie Goethe oder Thomas Mann.

Es läßt sich nicht beweisen, aber realistisch schätzen, daß damit höchstens zehn Prozent der Leser angemessen bedient wurden – eine Minderheit von Bildungsbürgern, die noch dazu in der angelsächsischen Literatur zu Hause sein mußten. Zugegeben, daß man auf keine Weise hundert Prozent für Henry James interessieren könnte – aber vielleicht doch zwanzig Prozent, wenn man den Ehrgeiz hätte, auch für aufgeschlossene, aber weniger gebildete Leser zu schreiben? Und vielleicht fünfzig Prozent, wenn man sich herabließe, jene Mittel des Leserfangens einzusetzen, wie der SPIEGEL oder der STERN sie häufig praktizieren? (Die Regeln **40** bis **50** geben einen Begriff davon.)

Henry James oder die Weigerung zu sagen, wer wer ist – das verbindet die vorige Regel mit dieser: Personen oder Begriffe werden nicht nur an der falschen Stelle – sie werden überhaupt nicht identifiziert; aus Gedankenlosigkeit oder aus Bildungsprotzerei unterläßt es der Schreiber zu sagen, was was ist.

25 Erwähnungen – und keine Erklärung

Auf einer Drittelseite setzte sich die FAZ anläßlich eines neuen Buches mit dem *Historismus* auseinander. Genau 25mal war dieses Wort im Text enthalten, oft in Zusammensetzungen mit -problem, -kritik, -diskussion; erklärt wurde es nicht ein einziges Mal. Und noch einmal die FAZ:

Doch läßt sich aus vielen anderen «obszönen» Darstellungen

> dieser Zeit erschließen, daß deren Unterhaltungswert als kontrastierende Verweise auf die krude Faktizität des Leiblichen, damit oft auch des Geschlechtlichen, nicht gering gewesen sein dürfte. Um diesen Kontext zu verstehen, reicht die Herausarbeitung der apotropäischen Komponente kaum aus.

Von der kruden Faktizität schon angeheimelt, öffnet sich der Leser gern der apotropäischen Komponente; einem Lexikon kann er ja jederzeit entnehmen, daß «apotropäisch» bedeutet: «Unheil abwendend» oder «den Abwehrzauber betreffend». Ein halbes dutzendmal erscheint das Wort im Text; erklärt wird es nie.

Die einsamen Höhen des Feuilletons

Da sind wir bei der typischen Krankheit unserer meisten Feuilletons: Sie schreiben *für die Experten*; die Musikkritiker zum Beispiel für die anderen Musikkritiker und für die Mitglieder des Streichquartetts; ein paar Leser nehmen sie auch noch mit auf in diese Reise zu den schwindelnden Höhen der Professionalität. Im KÖLNER STADT-ANZEIGER liest sich das so:

> In der jüngeren Variante von «...eyplosante-fixe...», zu deutsch etwa «berstend-starr», bevorzugt Boulez mit den drei Flöten als Protagonisten ein in seiner unablässigen Dichte dennoch eher monochromes Bild, während in der früheren Gestalt die der Elektronik unterworfene Midi-Flöte in Partnerschaft mit nur wenigen Instrumentalisten subtilste echohafte, ja geheimnisvolle Klangschleier zu weben scheint.

Dies wird man als *ermetismo* einstufen dürfen, als Anleihe bei der literarischen Richtung des nicht von Hinz und Kunz Verstanden-werden-*Wollens*, als elitäre Absonderung – mit dem bedauerlichen Unterschied: Literarischen Rang erreichen unsere Kritiker ja selten; und erklömmen sie auch seine Höhen, so hätten sie immer noch ihren Beruf verfehlt: möglichst viele Leser an ihren Einsichten teilhaben zu lassen.

Juristische Begriffe erläutern

Auch im politischen Teil der Zeitungen wird oft über die Köpfe der meisten Leser hinweggeschossen, dort wohl mehr aus Gedankenlosigkeit. Wenn das Bundesverfassungsgericht entscheidet, auch der *Besitz an einer Mietwohnung* falle unter die Eigentumsgarantie des Grundgesetzes, so schuldet die Redaktion ihren Lesern natürlich die Erläuterung, daß *Besitz* juristisch etwas anderes bedeutet, als was die Mehrheit darunter versteht, daß also der Mieter der «Besitzer» ist; denn für die meisten gibt es zwischen Besitz und Eigentum keinen Unterschied. *Totschlag* hält die Mehrheit auch der Gebildeten für fahrlässige Tötung; also schuldet die Redaktion ihren Lesern den Hinweis, daß es sich um eine Tötung mit vollem Vorsatz handelt, nur ohne die erschwerenden Umstände, die aus der vorsätzlichen Tötung den Mord machen.

Regel 34: Kompliziertes doppelt sagen (Redundanz)

«Redundanz» heißt eigentlich das Weitschweifige, das Überflüssige: von allem, was wir schreiben oder sprechen, derjenige Teil, der über die schiere Mitteilung hinausgeht.

«Ich lade euch für Sonntag zum Abendessen ein. Ich habe Geburtstag.» Das wäre redundanzfreie Information – darauf aber beschränkt sich kein Mensch. Die Einladung enthält in aller Regel das Doppelte bis Zehnfache dessen, was technisch gesagt werden müßte. Nur im Telegramm geizen wir mit Wörtern; höchstens, daß auch der Anrufbeantworter zu einer gewissen Sparsamkeit verleitet.

Abseits dieser technischen Grenzfälle ist redundanzfreie Information erstens unhöflich, unnatürlich und unmenschlich, zweitens schrecklich ermüdend (wer liest schon Telefonbücher?) und drittens oft dem Verständnis abträglich. Eine wirklich überraschende Neuigkeit, in logisch einwandfreier Kürze dargeboten, fassen wir bei einmaligem Lesen oder Hinhören gar nicht auf.

Wenn die Polizei per Lautsprecherwagen verkündete: «Räumen Sie sofort Ihre Häuser!» (und sonst nichts) – so wäre die überwiegende Reaktion nicht Räumung, sondern Ratlosigkeit mit einem riesigen Informations- und Redundanzbedürfnis: «Warum? Wie rasch? Mit wieviel Gepäck? Und habe ich mich wirklich nicht verhört? Und will da wirklich niemand einen bösen Scherz mit uns treiben?» Eine *wirksame* Mitteilung aus dem Lautsprecherwagen müßte also etwa lauten:

> «Achtung, Achtung! Fünfzig Meter von hier ist eine Luftmine aus dem Zweiten Weltkrieg gefunden worden. Es ist nicht auszuschließen, daß sie explodiert. Sie müssen also Ihre Häuser verlassen – jawohl, alle, und zwar sofort! Zum Kofferpacken ist keine Zeit! Greifen Sie meinetwegen nach Ihrer Brieftasche, aber packen Sie nichts! Bitte, verlassen Sie Ihre Häuser! Wahrscheinlich ist es nur für eine halbe Stunde. Wenn Sie aus dem Fenster schauen, sehen Sie

uns im Polizeiwagen. Es ist ernst! Rennen Sie! Retten Sie sich! Ich wiederhole...»

Und nun alles noch einmal – nicht nur für die, die es noch nicht hören konnten, sondern ebenso für alle, die die Wiederholung *brauchen*, damit sie in ihrem Entschluß nicht wanken.

Zweiter Anlauf und Vergleich

Ähnlich hoch wie bei der verblüffenden und erschreckenden Nachricht ist der Bedarf an Redundanz bei jeder Information, die unser Verständnis strapaziert: Was besagt die Chaos-Theorie? Wie funktioniert ein Word Processor? Wer kämpft eigentlich gegen wen im Libanon? Ob Lehrer, Journalist oder Verfasser von Gebrauchsanweisungen – jeder tut gut daran, die nüchterne Beschreibung durch eine Zugabe zu ergänzen: einen zweiten Anlauf («Das bedeutet also...»), ein Beispiel, einen Vergleich, eine Hintergrundinformation.

Doch sogar an der Basisinformation lassen Journalisten es oft fehlen. An einem etwa vorhandenen Lexikon gemessen, ist es natürlich redundant, über ein fernes Land ein paar Grundtatsachen mitzuteilen; gleichwohl bleibt es für die meisten Leser ein Ärgernis, wenn etwa die FAZ von den Problemen der *Befriedung Tschads* berichtet und der Text nirgends einen Hinweis auf Lage und Größe dieses afrikanischen Staates enthält. In einer Fernsehreportage wurde die ostsibirische Insel Sachalin vorgestellt, «bitter kalt» werde es da im Winter – und in der ganzen dreiviertelstündigen Sendung fand der Sprecher keine Zeit, zwei Sätze unterzubringen wie diese:

> Sachalin ist etwa so groß wie Bayern; auf die europäische Landkarte projiziert, würde es von Lübeck bis Triest reichen. Während aber der Temperaturdurchschnitt im Januar in Lübeck bei 0 Grad liegt, beträgt er an der Nordspitze Sachalins – 21 Grad.

Das Unverständliche verständlich zu machen bewegt sich irgendwo zwischen Redundanz und notwendiger Information; die Grenzen fließen. Wenn die Information lautet: «Am Amazonas stehen mehr als drei Millionen Hektar Wald in Flammen» – so hat jeder, der seinem Leser dienen will, zunächst die Hektar in Quadratkilometer umzurechnen (kein Redundanzproblem): Denn in Hektar denken nur Bauern und Inhaber von Gärtnereibetrieben; es handelt sich also um mehr als dreißigtausend Quadratkilometer. Dem aber ist die Redundanz in der Form des Vergleichs hinzuzufügen: ein Areal fast so groß wie Nordrhein-Westfalen. Das hat der Schreiber zu wissen, hilfsweise hat er nach solchen Vergleichen zu fahnden.

Eine krasse Unterlassung ließen sich die deutschen Medien zuschulden kommen, als 1970 ein amerikanisches Auto auf dem Mond spazierenfuhr. Lag hier nicht ein legitimes Interesse vor zu erfahren: Wie groß ist er eigentlich, der Mond, mit irdischen Maßstäben gemessen? Selbst die Lexika verweigern dem Laien die Auskunft. So heißt es im Großen Meyer:

Oberfläche: $3{,}796 \times 10^7\ \text{km}^2$ (= 0,0744 Erdoberfläche)

Und dies an 17. Stelle der Monddaten, nach faszinierenden Angaben über die mittlere Exzentrizität der Mondbahn und die drakonitische Umlaufzeit, und ohne daß auch nur die Übersetzung in die etwas weniger weltfremde Zahl *38 Millionen Quadratkilometer* vorgenommen würde.

Auch diese Zahl hätte den meisten wenig gesagt; also wären die Journalisten natürlich zu einem Vergleich aufgerufen gewesen wie: «Der Mond ist so groß wie Afrika plus Australien.»

Wie Bilder im Kopf entstehen

Wer eine Staumauer von 180 Metern Höhe abbildet, sollte – muß – dazu sagen, daß sie höher als jeder Kirchturm der Erde ist. Als der STERN einst das Riesenflugzeug B-747 vorstellte, den Jumbo, schrieb er dazu, der Rumpf allein sei so groß, daß der gesamte erste Motorflug der Brüder Wright in ihm hätte stattfinden können. Für die Größe eines sieben Wochen alten Embryos fand das SZ-MAGAZIN den Vergleich, seine Arme seien etwa so groß wie ein Ausrufungszeichen in eben der Schrift, in der der Vergleich gedruckt wurde.

Solche Beispiele ersetzen nicht nur die meisten der modischen «Info-Grafiken», sie sind sogar besser als diese: Sie produzieren *Kino im Kopf* – das Höchste, was ein Schreiber erreichen kann; und anders als die Info-Grafik lassen sie sich im Gedächtnis speichern und weitererzählen.

Redundanz muß sein! Vergleich und Erklärung zu allem, was schwierig ist; Wiederholung von allem, was dramatisch ist; Hintergrund zu allem, was die meisten nicht kennen – sonst werden die Aufnahmebereitschaft und das Verständnis des Lesers überfordert, sonst wird er überfüttert mit zu vielen Fakten auf zu engem Raum.

Wie aber verhält sich diese Empfehlung zu den Regeln **4** bis **11**: mit Wörtern und mit Silben geizen, Floskeln, Füllwörter und tautologische Adjektive tilgen? Da ist kein Widerspruch: Denn in geschriebenen Texten wird jedes Beispiel, jeder Vergleich, jede Aufhellung des Hintergrunds eben diesen Regeln folgen. Beispiele sind gut; aber wenn ich sie in zwanzig Wörtern erzählen kann, sollte man sich nicht vierzig Wörter durchgehen lassen. Jedes Wort soll *Sinn transportieren*, und nur diejenige Redundanz ist eine gute Redundanz, die sich auch bei Vergleich, zweitem Anlauf und Erläuterung nach dieser Generalregel richtet.

Der amerikanische Lyriker Ezra Pound hat für den Dichter die äußerste *Verdichtung* der Sprache empfohlen – allen anderen Schreibern aber als *Geheimnis des eingängigen Schreibens* verraten: Es bestehe darin, «daß man auf einer Seite nie mehr unterbringt, als der Durchschnittsleser aufnehmen kann, ohne seine übliche schlaffe Aufmerksamkeit anzuspannen».

Regel 35: Kompliziertes gläsern gliedern

Wenn eine Handlung zwei Akte oder ein Mensch zwei Gedanken hat, so sollte sich der Schreiber einer Regel von unübertrefflicher Einfachheit bedienen: erst den ersten nennen und dann den zweiten. Der typische deutsche Abiturient jedoch und der typische Journalist noch mehr – sie haben Mühe, diesem Rezept zu folgen, wenn sie nicht gar Abscheu davor hegen: Sie verschachteln, verknoten und verquirlen ihre zwei Aspekte, etwa mit Hilfe von *nach, nachdem, außer, neben* und *abgesehen davon, daß*; vorzugsweise aber mit Hilfe von Nebensätzen am falschen Platz (wofür die abstoßenden Beispiele in den Regeln **20** und **21** versammelt sind).

Warum war *dem Raub* der Maschinenpistole ein Notruf *vorausgegangen*, wie es in dem entgleisten Satz am Beginn von Regel **17** hieß? Weil das Plusquamperfekt es ermöglicht und der übliche Nachrichtenstil es fordert, daß man das zweite vor dem ersten nennt – tendenziell immer, weil das zweite neuer ist; mindestens aber dann, wenn es aufregender ist: der Absturz des Flugzeugs, das Urteil im Prozeß.

Daraus folgte schon in Regel **13** der Rat, sich vor mehr als einem Plusquamperfekt pro Text zu hüten und so rasch wie irgend möglich in die Chronologie zu springen; unter dem Blickwinkel der klaren Orientierung sei diese Empfehlung hier bekräftigt.

Eine einleuchtende Ordnung suchen

Bei Zeitabläufen liegt das Problem des Schreibers allein darin, wie er sie grammatisch bewältigt – *was* vorher und was nachher kam, ist ihm meistens kar, ohne daß er knobeln müßte.

Wo aber keine natürliche Ordnung vorgegeben ist, da muß der Schreiber eine zusätzliche Leistung erbringen, die viele offensichtlich zu schwierig, zu mühsam oder einfach überflüssig finden: Bei mehreren Aspekten eines Themas, bei Argumenten, Gründen, Motiven, auch Personen muß er sich *vor* dem Schreiben klarmachen, wie viele es sind und in welcher Form und Reihenfolge er sie am besten aufführen sollte.

Bei zweien solcher Elemente mag es noch angehen, wenn man sie nicht sortiert; von drei Begründungen an aufwärts kann nur die Richtschnur gelten, mit der Hieronymus Jobs bei Wilhelm Busch seine Predigt meistert: «...und sagt es klar und angenehm, was erstens, zweitens und drittens käm'.»

Solche Gliederung setzt dreierlei voraus: Der Schreiber muß spüren, daß er sich in einer Aufzählung vergleichbarer Glieder befindet; er muß sich die Mühe machen, sie zu zählen; und er muß den Willen haben, das Ergebnis der Zählung seinen Lesern unverschachtelt mitzuteilen.

Selbstverständlich ist das keineswegs. Die einen stolpern blind in ihren Satzverhau und überlassen es dem Leser, sich Art und Zahl der Aspekte herauszupicken. Die anderen nehmen zwar eine Reihung vor, aber in der umständlichsten und unübersichtlichsten Form: *Nicht nur – sondern auch – und außerdem* schreiben sie oder *Sowohl – als auch – und schließlich noch* oder *neben einem Raffael auch ein Rembrandt und ein Rubens* – obwohl doch das Museum offenbar drei besitzt und keinen davon *neben*: einen Raffael, einen Rembrandt, einen Rubens.

Nichts geht über das Aufzählen

Was also tun, wenn man von drei oder mehr Personen, Dingen, Argumenten spricht? Man zählt sie gleichberechtigt nacheinander auf, wie die FAZ 1993 in einer Übersicht über das Allgemeine Zoll- und Handelsabkommen (GATT). Schon die Überschrift nahm eine klare Dreiteilung vor:

Das GATT: Was es ist – Was es soll – Was es erreicht hat

Im Text waren seine Absatzanfänge durch Kursivsatz herausgehoben (dazu Regel **39**):

Der Anfang:
Die Ziele:
Zwei Prinzipien:
Die Ausnahmen:
Forum, Schlichtungsstelle, Organe:
Das bisher Erreichte:

Das heißt Übersicht! Das heißt: dem Leser die Hand reichen auf dem Weg durch ein dorniges Thema.

Innerhalb der Generalregel «gleichberechtigtes Nacheinander» bieten sich Varianten an – solche der Zählung und solche der Ankündigung. Ich kann meiner Aufzählung den Herold vorausschicken: «Dafür sprechen drei Gründe: …» Ich kann es auch bleiben lassen und darauf vertrauen, daß ich durch transparenten Satzbau und klare Vergleichbarkeit der Glieder eine ähnliche Übersichtlichkeit erziele. Dies wird nur bei kurzen Gliedern möglich sein; für längere Argumente empfiehlt sich die Ankündigung – wie in Regel **21**: «Hier haben sich vier Elemente zum Chaos verbündet: die grammatische Möglichkeit, ein einseitiger Deutschunterricht …»

Ob mit oder ohne Herold: Ich kann die Gründe numerieren oder es bleibenlassen. Hier gilt dieselbe Unterscheidung: Nur bei kurzen Beschreibungen werde ich auf die Kennzeichnung verzichten. Brauche ich mehr Platz (pro Aussage mehr als eine Zeile), so bieten sich drei Wege an:

1. Bei zwei Gliedern kennzeichne ich jedes durch *zum einen – zum anderen* oder *einerseits – andererseits.*
2. Bei drei und mehr Gliedern schreibe ich erstens, zweitens, drittens oder zum ersten, zum zweiten, zum dritten vor meine Gründe.
3. Ich löse meinen Satz in eine Tabelle auf – wie diese hier.

Eine solche tabellarische Gliederung empfiehlt sich um so mehr:

- je mehr Gesichtspunkte ich aufzähle;
- je komplizierter sie sind;
- je mehr der Text auf rasche Information über einen nüchternen Sachverhalt zielt.

Die Hamburger Psychologen Langer, Schulz und Tausch, die 1974 die Verständlichkeitsforschung in den deutschen Sprachraum einführten, boten folgendes Beispiel für den Vorzug der Tabelle an. In einem Fachbuch hieß es:

> Erwartungsgemäß erwiesen sich die beobachtbaren interindividuellen Unterschiede in der sprachlichen Dominanz von Lehrern sowie in der Bevorzugung verschiedener Beeinflussungsstrategien als unabhängig vom Alter der Schüler wie auch der Klassenstärke.

Statt dessen empfahlen die Autoren folgende tabellarische Aufgliederung:

1. Lehrer sprechen mehr als Schüler.
2. Das Sprachverhalten von Lehrer und Schüler ist nicht unabhängig voneinander.
3. Das Ausmaß der sprachlichen Dominanz der Lehrer erwies sich als unabhängig von Klassenstärke und Alter der Schüler.
4. Ebenso unabhängig hiervon erwies sich die Bevorzugung verschiedener Beeinflussungsstrategien.

Auch in der Tabelle freilich sollte an den Wörtern noch geschliffen werden: Sie haben sich vom Fachjargon nicht weit genug entfernt.

Tabellen haben auch Nachteile

Für jeden, der übersichtlich informieren will, ist bei drei oder mehr Gliedern die Tabelle die eindeutig beste Lösung – für Geschäftsbriefe also, für Gebrauchsanweisungen, Wirtschaftsnachrichten und Lebensläufe. Und doch muß die Empfehlung mit einer Warnung einhergehen:

Der Anblick einer Tabelle stört jedermann, wenn es sich um *erzählende* Texte handelt, um Reportagen oder Erlebnisberichte; optisch und stilistisch unterbricht die Tabelle den Fluß der Darstellung.

Und nicht nur das: Auf ungeübte und ungebildete Leser kann auch in argumentierenden Texten die Ankündigung von vier Gründen oder der Anblick von vier numerierten Textblöcken abstoßend wirken, jedes für sich und erst recht beides zusammen. Für viele Leser sieht das nach einem Programm aus, nach Gründlichkeit – also nach Arbeit und nicht nach Unterhaltung. Folglich sollte der Schreiber abwägen: Werden meine Leser das Signal für schöne Klarheit als Drohung verstehen? («Um Gottes willen, hier wird ein Thema ausgeschöpft!»)

Dies ist erstens ein typischer Zielkonflikt und zweitens *kein* Grund zum Naserümpfen gegenüber solchen Lesern: Hand aufs Herz – wer von uns würde sich *nicht* mit Grausen wenden, wenn ein Schreiber uns mit vorbildlicher Klarheit für die Aufzählung von *zwanzig* Gründen zu interessieren versuchte?

Das Minimum an Gliederung

Wer den Vorzug an Klarheit haben und zugleich den Nachteil des Signals «Ich bin schrecklich gründlich» vermeiden will, dem bietet sich ein Kompromiß an. Ein Leitartikler hat beispielsweise fünf Argumente *für* einen Gesetzentwurf aufgeführt – klar gegeneinander abgesetzt, jedoch ohne empfindliche Leser mit Zahlen zu behelligen.

Nun kann er schreiben: «Dies waren fünf Gründe *dafür*», am besten verbunden mit fünf Stichwörtern, die sie dem Leser in Erinnerung rufen; andernfalls nämlich würde eine interessante Minderheit der Leser stutzen, sich denken: Waren das nicht nur drei oder vier? und dann eines von zwei kleinen Ärgernissen auf sich nehmen müssen: zurücklesen – oder die Lektüre mit einem Anflug von Unbehagen fortsetzen.

Und dann kann der Leitartikler fortfahren: «Es gibt aber auch gute Gründe dagegen» oder «Die Argumente dagegen überwiegen jedoch». *Weniger* Gliederung sollte niemals sein. Der Leser hat Zeile für Zeile ein Recht darauf zu wissen, wo er sich befindet, ob die Beweisschiene nun eine Links- oder eine Rechtskurve beschreibt. Nichts ist ärgerlicher, als in einem Wortsumpf ein paar durchaus interessante Aspekte zu entdecken, sie aber leider nicht sortieren zu können, ohne daß man ihn trockenlegt.

Klarheit, die wir meinen

«Die volle Klarheit» war dieser Abschnitt überschrieben – Klarheit auch dort, wo selbst klare Wörter in klaren Sätzen noch Verwirrung hinterlassen können. Die *meisten* Sünden gegen die Klarheit werden von jenen Schreibern begangen, denen kein Deutschlehrer dies je als Ideal vor Augen gestellt hat, so daß sie entweder nicht an ihre Leser denken oder nicht über die Rezepte verfügen, den freundlichen Gedanken in eine zielsichere Handlung umzusetzen.

Die *schlimmsten* Sünden aber begeht jene Minderheit, die die Klarheit nicht will, die verhehlen und vertuschen *möchte* oder wabernde Orakelsprüche liebt: Politiker, Lobbyisten und andere Zeitgenossen, die mehr lügen als unsereiner. Nur wer raunend an die letzten Dinge rührt wie Hölderlin, ist vom Zwang zur Klarheit dispensiert.

Die richtigen Lesehilfen

Regel 36: Alle sieben Satzzeichen verwenden

«Der gute Mann denkt an sich, selbst zuletzt.» Man sieht an diesem Beispiel, daß ein Komma zuviel den Sinn des Satzes ins Gegenteil verkehren kann. Mit einem Komma zuwenig wiederum hat ein Journalist den beschlußfreudigen Hintern erfunden, vermutlich gegen seinen Willen; in der Zeitschrift TEMPO hieß es über eine römische Prostituierte:

> Luna stöckelte die Via Verdi hinunter, daß ihr Hintern die ganze Breite der Straße brauchte und beschloß, sich keine Sorgen zu machen.

Sollte der Schreiber gemeint haben, daß nicht Lunas Hintern beschloß, sondern Lunas Kopf – so hätte er den mit *daß* eingeleiteten Nebensatz so beenden müssen, wie er begann: mit einem Komma nämlich, das dann vor dem *und* gestanden hätte. (Und da wird doch von irgendwelchen Experten tatsächlich erwogen, das oft notwendige Komma vor *und* ins Belieben des Schreibers zu stellen!)

Unsere Auswahl ist ärmlich genug

Jedes richtig gesetzte Komma ist eine Lesehilfe: immer eine Erleichterung, oft unerläßlich zur Vermeidung von Mißverständnissen. Alle Satzzeichen bieten solche Hilfen. Wir haben genau sieben – ein erschreckend dürftiger Vorrat für jeden, der in der Schrift eine Vorstellung davon vermitteln möchte, was alles unsere *Stimme* zum Ausdruck bringen kann: Wir sprechen lauter oder leiser, langsamer oder schneller, mit Hebungen und Senkungen, mit Seufzern und Kunstpausen, mit Wut in der Kehle oder einem Lachen auf den Lippen – und wie sieht das Instrumentarium aus, mit dem wir diese ganze Sprechmusik ins Schriftbild übertragen können? Punkt und Komma, Fragezeichen und Ausrufungszeichen, Doppelpunkt, Semikolon, Gedankenstrich. Wie ärmlich!

Aber nun das eigentliche Ärgernis: Fünf der sieben Satzzeichen kommen bei einer wachsenden Zahl zumeist jüngerer Schreiber kaum noch vor oder überhaupt nicht mehr. Sie schreiben «Muß das sein, fragte er» (obwohl es sich doch um eine Frage handelte – besitzen wir denn kein Fragezeichen?) oder «Das tust du nicht noch mal, schrie sie ihn an» (als ob sich in unserem kargen Vorrat nicht ein Schreizeichen befände!) Sie verwenden überhaupt nur noch Punkt und Komma, und den Punkt am allerliebsten.

Vier Argumente gegen den Punkt

Die modische Punkt-Seuche tritt in zwei Formen auf. Die leichtere Form, häßlich genug, besteht darin, daß der Schreiber zwar die Regeln wahrt, indem er nur komplette Sätze durch Punkte trennt – dies aber mit einer Hartnäckigkeit, die einer besseren Sache würdig wäre. Der Schluß von Goethes Ballade «Der Fischer» läßt sich durchaus korrekt so wiedergeben:

Sie sprach zu ihm. Sie sang zu ihm.
Da war's um ihn geschehn.
Halb zog sie ihn. Halb sank er hin...

Doch Goethe hat nirgends einen Punkt, er hatte überall Kommas gesetzt. Das Komma verbindet, es hebt die Stimme; der Punkt trennt und senkt sie. Er ist eine Einladung zum Luftholen – wenn nicht zum Bierholen. Spricht der Schreiber diese Einladung zu oft und zu früh aus, so verscheucht er Leser – so einfach ist das. Für den Umgang mit dem Punkt bieten sich vier Faustregeln an.

1. Kurze Hauptsätze werden nicht durch Punkte getrennt, sondern durch Kommas. Holzhackerstil entsteht nicht, wie oft zu lesen, durch die Reihung kurzer Sätze, sondern durch die Zwangsvorstellung, daß zwischen sie jeweils ein Punkt gedonnert werden müsse.

2. Ein zu früh gesetzter Punkt kann einem Text jede Spannung rauben. Der in Regel **30** zitierte Roman-Anfang hätte seine Kraft verloren, wenn er lautete: «Alle glücklichen Familien sind einander ähnlich.» Denn viele Leser werden das unbesehen glauben, es überrascht sie nicht, es ist einer Binsenweisheit nahe, und nachdem ich von der gelangweilt Kenntnis genommen habe, soll ich die Stimme senken und mich ausruhen? Das wäre eine Einladung, die Ruhe noch ein bißchen weiter zu treiben und die Lektüre zu beenden. Tolstoi oder sein Übersetzer haben ein Semikolon gewählt – also die Einladung, die Stimme in der Schwebe zu lassen, den Gedanken nicht für komplett zu halten; «unglücklich ist jede Familie auf ihre eigene Art». Nun erst ist die Aussage interessant geworden – und wie töricht, einen Punkt zu machen, ehe der Leser gewonnen ist!

3. Junge Leute – jene also, unter denen die Seuche vorzugsweise wütet – sollten sich angewöhnen, *jeden* Punkt in Frage zu stellen. Frage ich? Ich rufe! Will ich zwischen zwei Hauptsätzen eine melodiöse Verbindung herstellen, so wähle ich das Komma; eine spannungsreiche Verbindung – den Gedankenstrich. Folgt aber der zweite Satz aus dem ersten, so ist es widersinnig und leserfeindlich, eben jenes Satzzeichen zu unterdrücken, das diese Folgerung signalisiert: den Doppelpunkt. In FOCUS war ein Vorspann so geschrieben:
   In Düren erprobt die Landesklinik für Psychiatrie ein umstrittenes Modell. Triebtäter haben Freigang.
   Eine groteske Interpunktion: Denn nun kommt es doch, das Modell! Genau dafür ist der Doppelpunkt gemacht, und jeder Leser betritt dankbar diese Brücke.

4. Wird bei Verstößen gegen die drei ersten Faustregeln noch die Grammatik gewahrt, so spielt der Schreiber Fußball mit ihr bei der anderen, der schweren Form der Punkt-Seuche: durch Punkte Stummelsätze zu erzeugen – sie also dort zu verwenden, wo überhaupt kein Satzzeichen Platz hat. Im Vorspann der WOCHENPOST:

> «Wir müssen normal tun, um nicht verrückt zu werden», sagen die Bosnier. Und fliehen zur nächsten Straßenecke.

Und gleich weiter in der Bildunterschrift:

> Die Heckenschützen lauern überall. Das weiß in Sarajevo jeder. Und sucht Deckung. Wenn er noch suchen kann.

Die schiere Marotte. Werbetexter haben sie ersonnen, um ihre dürftigen Sätzlein durch Stolpersteine interessant zu machen. Journalisten aber, die ja oft mehr als zwei Zeilen lang so schreiben, vergessen dabei, daß jeder Punkt eine Einladung zum Atemholen ist. Und zum Bierholen. Und zum Aussteigen aus dem Text.

Jedes auf jeder Seite!

Generalregel für den Umgang mit unsern sieben Satzzeichen: Wer nicht auf jeder Schreibmaschinenseite jedes mindestens einmal verwendet, hat Spannung und Melodie verschenkt. Und etwas falsch gemacht.

Ein *Doppelpunkt* sollte sogar in jedem Absatz vorkommen: als Signal, daß der Satz *davor* eine kleine Spannung aufbaut, die der Satz *danach* auflöst. Wie könnte man dynamischer schreiben?

Einzig das Ausrufungszeichen, von den Boulevardzeitungen überreizt, mag seltener auftauchen – *immer* jedoch, wenn einer ruft. Schreit. Kreischt. Brüllt!

Regel 37: Bindestriche nutzen

Was ist, was sind *Cashewäpfel*? Cashe-Wäpfel? Etwas Altgermanisches? Etwas Schweizerdeutsches? (Denn wir befinden uns in der NEUEN ZÜRCHER ZEITUNG.) Vielleicht ein Backwerk aus dem Unterengadin? Oder sollte man Cashew-Äpfel lesen? Aber hatten wir die Cashew nicht immer für eine Nuß gehalten?

Cashewäpfel sind in zweiter Linie tatsächlich die Äpfel, die mit der Cashew-Nuß verbunden sind; in erster Linie aber sind sie ein Skandal. So geht man nicht mit Lesern um. Zu der Schreibweise Cashew-Äpfel gibt es keine Alternative.

Der Duden rät ausdrücklich, zusammengesetzte Wörter durch einen Bindestrich zu trennen, wenn sie sonst unübersichtlich oder gar mißverständlich wären (der Streikende, das Streik-Ende). Doch hat sich in den meisten Redaktionen und Verlagen die Unsitte durchgesetzt, diesen Rat in den Wind zu schlagen und uns die beliebten Silbenschleppzüge unterm Auge durchzuziehen: Marserkundung, Askeseideal, Amazonasinsel, Dialogallergie, Antidumpingzolloption.

Wann also wäre jener Trennstrich zu verwenden, der irreführenderweise als «Bindestrich» in der Grammatik steht? Nicht bei geläufigen Wortverbindungen wie *Asylbewerber*. Immer aber bei Zusammensetzungen, die entweder neu oder den meisten Lesern nicht geläufig sind: Jura-Sedimente. Zweitens, wenn das zweite Wort mit einem Vokal beginnt, der zum falschen Weiterlesen einlädt: *Asyl-Antrag* (sonst entstünde ja das Schriftbild *Asylant-*, und erst am abschließenden *rag* könnte ich erkennen, daß ich so nicht hätte lesen dürfen). Und selbstverständlich Mars-Erkundung.

Das Ärgernis des unterdrückten Bindestrichs steigert sich noch, wenn das Zeilenende zur Silbentrennung zwingt: Dann wird das Wort oft genug dort unterbrochen, wo gerade keine Lesehilfe entsteht. In deutschsprachigen Zeitungen konnte man folgende Ungeheuer von Schein- und Zufallswörtern entdecken:

bergunge	–	wohnt
Hanfan	–	bau
Intiment	–	hüllung
Jahrhunderten	–	des
Kafkaken	–	ner
Lesein	–	tensität
Moralen	–	zyklika
Postagen	–	turen
Prominentenen	–	zyklopädie
Randepi	–	soden
Sekteti	–	kett
Selbsthilfeini	–	tiativen
Sojafa	–	sern
Volkstanzen	–	semble

Noch mehr Verwirrung entsteht, wenn die Silben vor dem Trennstrich ein komplettes Wort ergeben – nur leider nicht das, das der Autor gemeint hat:

bein	–	halten
Beschützerin	–	stinkte
Elektro	–	nikriese
Fahrer	–	lebnis
Fleischer	–	satz
Gewinner	–	schleichung
Grabbe	–	pflanzung
hyper	–	belähnlich
kampfer	–	probt
Konsument	–	scheidung
Schreiber	–	ziehung
Talent	–	wässerung
Urin	–	sekt

Törichter kann man eine mögliche Lesehilfe nicht unterdrücken.

Regel 38: Ziffern sinnvoll einsetzen

Zahlen lassen sich in Ziffern oder in Buchstaben schreiben (3 oder drei). Wann man welche Schreibweise wählt, wird für die meisten Redaktionen und Verlage durch eine uralte Setzerregel entschieden: elf, zwölf, 13 – einzige Ausnahme: Dezimalzahlen (3,6). Diese Regel hat schwer erträgliche Nachteile und sollte endlich in der Mottenkiste verschwinden, aus der sie kommt. Vier Nachteile stechen ins Auge.

1. **Es gibt keinen ersten Januar.** Die Setzerregel verführt viele Redaktionen, bei Zahlen unter 13 *Buchstaben* auch dort zu verwenden, wo die beschriebene Wirklichkeit mit Ziffern operiert: am ersten Januar, auf Seite vier, in Zimmer acht, die Nummer eins. Im Kalender, auf der zitierten Seite und auf der Zimmertür steht aber eindeutig und immer 1 – 4 – 8, und Nummern sind Kennzahlen, die stets und überall in Ziffern geschrieben werden: Hausnummern, Telefonnummern, Kontonummern beweisen es.

2. **Auch mehrere 100 gibt es nicht.** Die Uraltregel verführt viele Redakteure, Ziffern auch dort zu benutzen, wo sie eine Exaktheit vortäuschen, die gar nicht gemeint sein kann. Logisch besteht zwar kein Unterschied zwischen 100 und *hundert*, psychologisch aber schon: «100 Teilnehmer» erweckt den Eindruck genauer Zählung; bei «hundert Teilnehmern» dagegen vermutet jedermann zu Recht, daß es sich um eine Zahl zwischen 90 und 110 handeln wird. Die Nichtbeachtung dieses Unterschieds wird vollends widersinnig, wenn der Schreiber ausdrücklich mitteilt, daß er *nicht* 100 meint: «fast 100» schreibt er oder «mehr als 100» oder gar «mehrere 100».

3. **Nichts steigt von elf auf 13 Prozent.** Die sklavische Beachtung der Setzerregel erschwert es, das zu *vergleichen*, was da offensichtlich verglichen werden soll: **Die Grünen konnten ihr Wahlergebnis von elf auf 13 Prozent verbessern, während die FDP von sechs auf 4,8 Prozent absackte.** Bei Wahlresultaten und überhaupt bei allem, was der Leser vergleichen möchte oder vergleichen soll, kann nur die eiserne Regel gelten: Es hat durchgehend in derselben Form geschrieben zu werden, vorzugsweise in Ziffern. **Temperatursturz von 34 auf vierzehn Grad,** schrieb die FAZ in einer Überschrift – doppelt töricht, weil kein Thermometer die Aufschrift «vierzehn» trägt.

4. **Das Problem verschränkter Zahlenreihen.** Die ärgerlichste Verwirrung des Auges entsteht dort, wo die Gutenberg-Regel das, was verglichen werden soll, mit dem vermischt, was gerade nicht verglichen werden soll: **Von 19 Ministern des Kabinetts Kohl sind binnen 18 Monaten neun ausgeschieden,** las man in einer Leitglosse der FAZ. Von 19 sind 18 ausgeschieden – das ist das *optische* Signal des Satzes. Er hätte natürlich so geschrieben werden müssen: «Von 19 Ministern sind binnen achtzehn Monaten 9 ausgeschieden.» Bei zwei verschränkten Zahlenreihen wähle man für jede eine durchgängige Schreibweise; welche wofür, entscheidet sich nach zwei Kriterien:

- Welche Reihe enthält die komplizierteren Zahlen, deren Wiedergabe in Buchstaben umständlich und kaum lesbar wäre (vierhunderteinundsechzig)?
- Falls beide Reihen im Bereich der Lesbarkeit bleiben: Findet sich eine der Zahlenreihen in der Realität in Ziffern abgebildet (wie auf dem Thermometer oder auf der Zimmertür)? Folglich schreiben wir: «Zwanzig Briefmarken zu 60 und dreißig zu 80 Pfennig» – denn 60 und 80, *das* steht drauf.

Was bleibt von der angestaubten Setzerregel übrig? Daß wir geringe Mengen, die mit nichts verglichen werden sollen, natürlich in Buchstaben schreiben: nicht also 3 Tage, Freunde, Bücher, sondern *drei*.

Buchstaben bis tausend?

Doch da bietet sich schon die nächste Abweichung an. Steht kein Vergleich zur Debatte, so empfiehlt sich eine Schreibweise, die in vielen Buchverlagen ohnehin praktiziert wird: Er hat sechzehn Bücher geschrieben, nach Bremen sind's dreißig Kilometer, auch hundert Tage, tausend Leser, zwei Millionen Einwohner. Zahlen mit zwei Silben also kann man getrost in Buchstaben schreiben, auch mit vier Silben, wenn es sich um *Millionen* oder *Milliarden* handelt – vorausgesetzt, daß es nichts zu vergleichen gibt (zwanzig gegen 23 Prozent, das wäre wieder eine Torheit).

Und man *sollte* auch möglichst viele Zahlen in Buchstaben schreiben, wenn das Schriftbild zumutbar und kein Vergleich in Sicht ist – denn der bloße Anblick gehäufter Ziffern stößt viele Leser ab. Nicht dort natürlich, wo sie Ziffern erwarten: bei Wahlergebnissen, bei Lottozahlen, in der Wirtschaft und im Sport; sonst überall.

Niemand liest gern 45 Ziffern

Selbst da aber, wo Ziffern im Prinzip willkommen sind, sollte man auf der Hut vor Übertreibungen sein. Im Vorspann eines Aufmachers der SÜDDEUTSCHEN ZEITUNG hieß es:

> Nach dem Etatentwurf wird der Bund seine Ausgaben gegenüber 1993 um 4,4 Prozent auf 478,4 Milliarden Mark steigern, im Zeitraum der mittelfristigen Finanzplanung von 1993 bis 1997 um durchschnittlich 2,3 Prozent. Die Neuverschuldung soll 1994 und 1995 bei 67,5 und 67 Milliarden Mark liegen und erst 1996 und 1997 auf 48 beziehungsweise 38 Milliarden Mark zurückgehen.

Das sind 14 Zahlen in 45 Ziffern – ein Anblick, der die meisten Leser gruseln macht. Auch der Minderheit der heftig Interessierten wird ein starker Tobak zugemutet: erstens der schieren Menge wegen, vor allem aber deshalb, weil von den 14 Zahlen 7 Jahreszahlen sind (in 28 Ziffern), 5 Milliardensummen (in 13 Ziffern) und 2 Prozentzahlen (in 4 Ziffern). Eine solche Verschränkung dreier Zahlenreihen überfordert auch den Gutwilligsten.

Was hätte man tun können? Entweder den Lauftext in eine Tabelle auflösen, mit drei Kolonnen für die drei Zahlenreihen. Oder, falls man die komplette Information im Vorspann zusammenballen wollte: jede Zahl und jede Ziffer auf Entbehrlichkeit prüfen. Also hätte man schreiben können:

- statt 1993 jeweils «in diesem Jahr» oder «im laufenden Jahr» (2 Zahlen mit 8 Ziffern gespart);
- statt 1994 «im nächsten Jahr» (1 Zahl mit 4 Ziffern gespart);
- statt **1996 und 1997** «1996/97» (2 Ziffern gespart);
- statt 478,4 Milliarden «478 Milliarden» – als ob es bei dieser Summe noch auf die Dezimalstelle ankäme! (1 Ziffer gespart);
- statt **bei 67,5 und 67 Milliarden** «bei 67 Milliarden» (1 Zahl und 3 Ziffern gespart) – das *bei* macht doch deutlich genug, daß die Dezimalstelle wiederum entbehrlich wäre!

Fazit: Statt 14 Zahlen 10, statt 45 Ziffern 27. Immer noch kein gefälliger Text, doch eine schwierige Materie etwas besser zugänglich gemacht – durch Einsicht und durch diese seltene Eigenschaft: an den Leser denken; nicht *ihn* plagen, sondern sich selber.

Regel 39: Kursivschreibung verwenden

Die vorige Regel endete mit dem Satz: «an den Leser denken; nicht *ihn* plagen, sondern sich selber.» Das *ihn* ist kursiv gesetzt, weil man sonst hätte lesen können: ... nicht ihn *plagen* (sondern ihn erfreuen).

Daß man im Druck wie auf dem Computer Wörter oder Satzteile durch Kursivschreibung hervorheben kann, ist eine schöne Lesehilfe. Gegen diese unbestreitbare Tatsache stehen zwei Schulen an: die schriftsprachliche und die ästhetische. Die strengen Verfechter der Schriftsprache machen geltend: Ein Wort herauszuheben sei eine Anleihe bei der mündlichen Rede; für den geschriebenen Text habe man diejenige Stellung zu wählen, die den Ton auch ohne Kursivsatz auf das gewünschte Wort lenkt – in diesem Satz also nicht «*die* Wortstellung» zu schreiben, sondern «diejenige Wortstellung», wie geschehen. Und im obigen Beispiel hätte man demnach formulieren sollen: ... nicht ihn, den Leser, plagen ...

Gegen die Meinung, die Schriftsprache müsse ohne optische Signale der Hervorhebung auskommen, steht die andere, die ich teile: Uns ist jedes grammatisch zulässige Mittel willkommen, die Schriftsprache der Lebendigkeit der mündlichen Rede anzunähern.

Die *ästhetische* Schule empfindet kursiv gesetzte Wörter als optisch häßlich und verbietet sie ganz oder tilgt zwei Drittel von ihnen aus dem Manuskript. Natürlich kann man den Kursivsatz übertreiben, wie die NEUE ZÜRCHER ZEITUNG mit ihrer Neigung, halbe Sätze zu kursivieren. *Ein* kursives Wort pro Absatz sollte jedoch erlaubt sein; auch mal zwei, wenn eben sie aufeinander bezogen werden sollen – der erste von *vier* Fällen, in denen Kursivsatz zu empfehlen ist:

1. *Asylbewerber* soll man schreiben, hieß es in Regel **35** über den Bindestrich, aber *Asyl-Antrag*. Daß diese beiden Wörter aus den Zeilen springen und zum Vergleich einladen, ist eine bedeutende Lese-Erleichterung, und daran sollten alle Einwände zerschellen.

2. Kursiv zu setzen ist jedes Wort, das ohne dieses Signal nicht denjenigen Ton auf sich ziehen würde, der die Verständigung erleichtert, ja oft erst ermöglicht: «So hätte er den mit daß eingeleiteten Nebensatz...» hieß es in Regel **34**, und diese Formulierung wird nur lesbar, wenn man «daß» oder *daß* schreibt. Die Gänsefüßchen, hier ein möglicher Ausweg, sind oft schon durch eine übergeordnete Zitierung verbraucht: «Die Tageszeitungen müssen das Publikum davon überzeugen, daß man neben dem Fernsehen lesen müsse, um die Bilder zu verstehen», hieß es in der FAZ, und hier nicht *lesen* zu schreiben heißt eine Lesehilfe verweigern, also den Leser unfreundlich behandeln.

3. Kursivsatz hilft, einen Wechsel des Themas oder des Schwerpunkts zu verdeutlichen. So hieß es in Regel **36**: «Im vorigen Absatz war vom *Doppelpunkt* die Rede – nun kommt das *Ausrufungszeichen*.»

4. Kursivsatz ist eine zweckmäßige Kennzeichnung für Wörter aus femden Sprachen, die im Deutschen *nicht* geläufig sind – wie *ermetismo* in Regel **33**.

Wer in einem dieser Fälle seiner ästhetischen Abneigung gegen kursivierte Wörter den Vorzug gibt, hätte vielleicht besser Designer als Schreiber werden sollen.

Die richtigen Reize

Regel 40: Metaphern pflegen

Was hätten wir von einem Leser, der zwar alles verstehen könnte, wenn er wollte – der aber ebendies nicht will? Der eingängige Text allein, die transparent gebauten Sätze *öffnen* ihm nur den Zugang; wenn der Adressat die Einladung annehmen, ja möglichst bis zum Schluß im Text verweilen soll, muß ihn entweder der Stoff interessieren, oder der Schreiber muß versuchen, ihm Lesevergnügen zu verschaffen, auch wenn das Thema nur von mäßigem Interesse wäre.

Mit welchen formalen Mitteln lassen Leser sich umwerben? Die frischen, bildhaften Wörter (Regeln **8** bis **12**) waren schon ein Beitrag dazu. Die Bildhaftigkeit läßt sich zur *Metapher* steigern, und von der handelt diese Regel.

Metapher bedeutet *Übertragung*: vom Unsagbaren ins Sagbare, vom Unanschaulichen ins Anschauliche, vom schon Anschaulichen ins Handfeste. Wenn wir nicht nur ein Stück Holz *begreifen*, sondern auch einen Zusammenhang: So haben wir den Zugriff der Hand ins Unsichtbare übertragen und unseren Fortschritt benennbar gemacht.

Die Stilistik unterscheidet die Sprachbilder nach Metonymie und Allegorie, nach Topos, Tropus, Periphrase und Parabel. Die jeweils zutreffende Benennung ist ein Gesellschaftsspiel, an dem sich keiner zu beteiligen braucht, der seinen Lesern treffende Bilder liefern möchte. Für die Praxis des interessanten Schreibens bieten sich andere Unterscheidungen an: Sprechblume oder Bedeutungssprung? Treffendes oder schiefes Bild? Mut zur Metapher oder Angst vor ihr?

Denn auch das gibt es: Einer malt ein Bild, erschrickt sogleich und verwischt sein Wortgemälde mit Gänsefüßchen oder wickelt es in relativierende Begriffe ein. Die Schwankungen des Benzinpreises entsprechen einem «Wechselbad» für die Autofahrer, liest man in der Zeitung, und da finden wir beides auf einmal: «Die Schwankungen sind ein Wechselbad», kann es nur heißen, ohne distanzierende Anführungszeichen um das Bild herum und ohne den entschuldigenden

Hinweis, daß man nicht etwa ein Wechselbad, sondern bloß die Entsprechung zu einem solchen meine. Entweder einer findet das Bild gut, dann malt er es ohne Wenn und Aber; oder er findet es schlecht, dann läßt er es hoffentlich weg.

Vor schiefen Bildern wird gewarnt

Wenn ein Bumerang sich mausert, dann ist etwas Schlimmeres geschehen: Zwei Bilder sind ineinandergeflossen und haben unfreiwillige Komik produziert. «Angriffe gegen Autos blieben Mangelware», las man in der WELT (ein wahrhaft erstaunlicher Mangel, der da zu beklagen war), und die NEUE ZÜRCHER ZEITUNG meldete, im Irak sei eine Lawine losgetreten worden – wo nahmen die da nur den Schnee und den Steilhang her? Einen Erdrutsch kann man erleiden, also keinen Erdrutschsieg feiern; Eisberge entpuppen sich nicht, und der Finger Gottes kann nicht die Zähne zeigen – aber beides muß man in der Zeitung lesen.

Auch hinter bisher unangefochtene Bilder lassen sich Fragezeichen setzen. Wenn ein Politiker einen anderen *Totengräber der Freiheit* nennt, so meint er natürlich den Mörder der Freiheit – während Totengräber nur Gräber für Menschen schaufeln, die ohnehin tot sind. Und wenn ein Journalist einem Politiker vorwirft, er betrachte sein Amt als *Selbstbedienungsladen*, so hat er die Kasse übersehen, an der nach der Selbstbedienung durchaus bezahlt werden muß; was er wahrscheinlich meint, ist ein Ladendieb (zwei Hinweise von Wilfried Seifert).

Wortklauber, Pedant, Tintenpisser muß sich jeder schelten lassen, der einen so peniblen Umgang mit der Sprache durchzusetzen sucht. Das Pissen mal beiseite – Worte klauben sollte jeder, der seine Mitmenschen mit seinen Texten zu beglücken wünscht. «Klauben» heißt in der Bergmannssprache: das Brauchbare aussondern, oft mühsam und immer mit Gefühl. Gibt es einen besseren Rat?

Das Rätsel der Computer-Viren

Wenn eine Metapher neu und vielleicht sogar treffend ist, kann sie genauso ärgerlich sein: Seit ein paar Jahren geistern *Computer-Viren* durch die Presse, und selten oder nie findet man sie mit den beiden Erläuterungen versehen, die der Laie zum Verständnis brauchen würde: Ist das eine Metapher – oder meint ihr wirklich einen Virus? (Es gibt ja Bakterien, die Schallplatten fressen.) Falls es sich aber um Bildersprache handelt: Wie soll ich mir das Wirken eines medizinisch definierten Körpers in einem Computer vorstellen?

Habe ich ein gutes Bild (eines also, das zugleich treffend und allgemein verständlich ist), so bietet sich als erste Unterscheidung an: Liegt hier ein Bedeutungssprung vor, eine Übertragung, die das Neue oder Schwierige vorstellbar und benennbar macht – wie einst *Luftschiff* für die lenkbare Himmelszigarre? Oder ein bloßes Schmuckwort, eine Sprechblume wie *Wüstenschiff* für etwas Altbekanntes, das Kamel? Auf diese sollte ich im Grenzfall verzichten.

Der ironische Vergleich

Im Grenzbereich der Metapher liegt der *ironische Vergleich*. Regel **34** warb für diejenigen Vergleiche, die nichts als informativ sein sollten, also ernst gemeint («höher als der Kölner Dom»). Der ironische Vergleich hat andere Meriten, er macht einfach Vergnügen – wie Alfred Kerr mit dem Satz: Die Arroganz gehört zum Journalisten wie der Plattfuß zum Oberkellner; oder wie der STERN im Porträt eines stets sportlich gebräunten Managers: Er sieht aus wie ein Luis Trenker fürs Mittelgebirge. Über eine Kleinbildkamera behauptete ein Werbetexter 1980, sie sei:

> schön wie Marilyn, klug wie Einstein, technisch perfekt wie ein Bugatti und von mattem Schwarz wie knapp 50 Prozent unserer wahlberechtigten Bevölkerung.

Jacob Burckhardt, der Schweizer Historiker, verstand es, unseren Bildungsdünkel und unsere Bilderbuchvorstellung vom kleinen Glück gleichzeitig zu beschädigen, indem er sie zueinander in Beziehung setzte: Bei unserem Urteil über das Glück oder Unglück vergangener Zeiten, schrieb er, erlägen wir einer optischen Täuschung,

> etwa wie abendlicher Rauch aus einer entfernten Hütte die Wirkung hat, daß wir uns eine Vorstellung von der Innigkeit zwischen den dort Wohnenden machen.

Die *ironische Metapher* zieht den Kreis enger, indem sie auf das vergleichende *wie* verzichtet: Sie nennt nur die Sache und erklärt sie nicht. Das Wetter machte ein Sauerkrautgesicht, schreibt Robert Walser, und Karl Kraus sagte über Heine: Er habe der deutschen Sprache so sehr das Mieder gelockert, daß heute alle Kommis an ihren Brüsten fingern können.

Die starke Metapher

Sie ist die Sache der Dichter – und folglich von allen, die sich ihnen nicht vergleichen können, mit Vorsicht anzugehen. In der Bibel:

> Und ich will Babel machen zum Erbe den Igeln und zum Wassersumpf und will sie mit einem Besen des Verderbens kehren. (Jesaja 14,23)

In Büchners «Lenz», nachts in den Vogesen:

> Es war, als ginge ihm was nach und als müsse ihn was Entsetzliches erreichen, etwas, das Menschen nicht ertragen können, als jage der Wahnsinn auf Rossen hinter ihm.

Heine schrieb über das Wüten, das Kant unter den Gottesbeweisen veranstaltet hatte:

> Er hat den Himmel gestürmt, er hat die ganze Besatzung über die Klinge springen lassen, der Oberherr der Welt schwimmt unbewiesen in seinem Blute...

Egon Erwin Kisch rühmte an Karl Marx das Geschick,

> versteinerte Zustände zum Tanzen zu bringen, indem er ihnen ihre eigene Melodie vorpfeift.

Neues Leben für alte Bilder

Mit Kisch sind wir bei den Journalisten – und deren größte Chance, soweit sie keine Dichter sind, besteht in etwas anderem, als neue Metaphern zu ersinnen: erstens die alten reinzuhalten, also niemals dem Faß die Krone aufzusetzen – und zweitens alte Metaphern vielleicht sogar zu neuem Leben zu erwecken, und zwar durch einen kleinen Stoß an den Sockel des Sprachdenkmals. *Heißer* Dank, das ist eine uralte Wortverbindung; Lichtenberg gab ihr neue, ironische Frische: Man stattete ihm sehr heißen, etwas verbrannten Dank ab.

Heine gab einem ausgeblichenen Bild kräftige Farbe, indem er zu Hamburgs Sehenswürdigkeiten ein schönes Frauenzimmer zählte, an dem der Zahn der Zeit schon seit zwanzig Jahren kaut. Einen Irrweg könnte man *pflastern*, statt ihn nur zu begehen (Herbert Wehner). Denen, die den Gürtel mal wieder enger schnallen wollten, hielt der FDP-Vorsitzende Graf Lambsdorff entgegen: Aber jeder fummelt am Gürtel des Nachbarn herum.

Da hört man plötzlich wieder zu: Ein kleiner Stolperdraht hat uns zu erhöhter Aufmerksamkeit gezwungen. Man darf den Leser auch nicht unterfordern. Wer ihm alle Mühe abnimmt, der schläfert ihn ein. Idealerweise enthält ein Text in jedem Absatz einen kalkulierten, mäßigen Verstoß gegen verfestigte Erwartungen, und die unvermutet abgewandelte Metapher ist ein schöner Beitrag dazu.

Vor-Bilder

Aber schwer in das Tal hing die gigantische
Schicksalskundige Burg nieder bis auf den Grund,
Von den Wettern zerrissen.

Hölderlin, «Heidelberg»

Im Grunde war es auch diesen Herbst wieder hübsch in Leipzig; ein wenig melancholisch, aber gerade so, wie unsereiner alle Genüsse des Lebens gewürzt findet, mit einem alten kleinen Rosengeruch des Unwiederbringlichen.

Nietzsche an seine Schwester,
Dezember 1885

Die Unke unkt, die Spinne spinnt,
Und schiefe Scheitel kämmt der Wind.

Christian Morgenstern

Ich stehe noch immer vor der Türe des Lebens, klopfe und klopfe, allerdings mit wenig Ungestüm, und horche nur gespannt, ob jemand komme, der mir den Riegel zurückschieben möchte.

Robert Walser

Es ist süß, krank zu sein, wenn draußen der sanfte Schnee fällt und der Winterwind wie ein verfrorener Bäckerjunge durch die Straßen trabt.

Klabund, «Franziskus»

Dirnen ließen mich kalt, so kalt wie etwa Silberfüchse mit Seidenfutter und Preisangabe einen Jäger lassen. Solch ein Jäger mag jahrelang nicht mehr geschossen haben, mag sich vor Schrot und Pulver nicht mehr zu lassen wissen, mag darauf fiebern, endlich einmal schießen zu können, mag bei jeder grauen Katze seine Büchse spannen – aber ins Schaufenster mit den Silberfüchsen schießt er nicht.

Werner Lansburgh, «Nocturno valenciano»

Regel 41: Mit Worten spielen

Norwegen befindet sich, rein geographisch gesehen, nicht unbedingt im Zentrum des Weltgeschehens. Mit diesem Satz begann 1993 eine Anzeige der norwegischen Wirtschaft in deutschen Zeitschriften. Das wird man eine schöne Untertreibung nennen dürfen.

Die *Untertreibung* (englisch *understatement*, griechisch *litotes*) ist ein klassisches Mittel, Leser für einen Text zu gewinnen, viel sympathischer als ihr Gegenteil. Wer die Eigernordwand sieht, eine der gewaltigsten Kerben, die die Natur in den Globus geschlagen hat, der muß den Namen der Bergregion für untertrieben halten: *Berner Oberland*. Diese Benennung war wohl eher ein historischer Zufall als eine stilistische Absicht. Doch in einem verwandten Fall bediente sich ein klarer Stilwille derselben Methode: *A night to remember* heißt ein amerikanisches Buch über den Untergang der «Titanic» – eine Nacht, an die man sich erinnern wird. Die Worte so weit hinter der Katastrophe zurückbleiben zu lassen: Das hat Kraft.

Die meisten Untertreibungen indessen sind ironisch gemeint und laden zum Schmunzeln ein, wie die einleitend zitierte über Norwegen. Mark Twain bezeichnete die Gerüchte über seinen Tod als stark übertrieben. Bertrand Russell schrieb über die Philosophen, sie seien zumeist schüchtern von Konstitution und mögen das Unerwartete nicht. Die wenigsten von ihnen würden als Piraten oder Einbrecher wirklich glücklich sein.

Die Risiken der Ironie

Da tummeln wir uns nun schon mitten in den Vorzügen und Nachteilen der *Ironie*. Die meisten Berufsschreiber sind in die Vorzüge verliebt, und viele von ihnen weigern sich, jene Risiken zu sehen, von denen in Regel **31** schon kurz die Rede war. Ironie kann schwerverdauliche Speisen schmackhaft und bekömmlich machen, und über allen plattfüßigen Ernst tänzelt sie hinweg – den Ernst, «dieses unmißverständlichste Anzeichen des mühsameren Stoffwechsels», wie Nietzsche sagt.

In aller Literatur spricht gar nichts gegen sie. Es ist schön, wenn Robert Walser einen Dichter über sich berichten läßt, er sei ein Mensch, der seinen Filzhüten den Rand mit der Schere halb abschneidet, um ihnen ein wüsteres Aussehen zu verleihen. Es ist amüsant, wie bei Thomas Mann die reiche Dame den Hotelboy Felix Krull anherrscht, während sie ihn verführt: Entkleidest du mich, kühner Knecht?

Solches Spielen mit Stilebenen und Bedeutungen kann auch für Essays, Kommentare, Glossen ein treffliches Stilmittel sein. Wer jedoch *informieren* will, muß leider um die Ironie einen großen Bogen machen – ob als Briefschreiber, Wissenschaftler oder Journalist; mindestens in Gebrauchsanweisungen, Steuerrichtlinien und Bewerbungsunterlagen wäre alles Doppelbödige gänzlich verfehlt.

Dies um so mehr, als Ironie häufig den Sinn nicht nur schillern läßt, sondern die schiere Verwirrung produziert. Da machten sich also einst Studenten aus reichem Haus den Spaß, das lateinische Adjektiv *frugal*, das «einfach, mäßig, bescheiden» bedeutet, ironisch gerade für eine opulente Mahlzeit zu verwenden – so oft, daß der Sprachgebrauch durcheinandergeraten ist. «Bescheiden», definiert der Duden, «gelegentlich umgangssprachlich: üppig.» De facto teilt er also mit, daß sich das Wort nicht mehr verwenden läßt; die häufige ironische Verwendung hat es getötet. (Schlimmer noch: Nur für 9 Prozent der Deutschen heißt frugal «bescheiden», für 19 Prozent «üppig», einer Umfrage zufolge; für 67 Prozent aber überhaupt nichts.)

Ironisch gemeint oder nicht – wer wollte das entscheiden bei einem Satz wie «Schwejk ist ein wahrer Held»? Einerseits kann er bedeuten: Natürlich ist Schwejk *kein* Held, und für die Verneinung hat der Schreiber ein ironisches Ja gewählt. Andererseits könnte er meinen: Gerade Schwejk verdient es, ein Held zu heißen, Held nach einer leicht verschobenen, aber ernstgemeinten Definition.

Ratlosigkeit manchmal also auch bei solchen Lesern, die mit Ironie umzugehen lieben – und das ist eine Minderheit. Die Mehrheit hat immer Probleme damit gehabt, aus einem gedruckten Satz das Gegenteil dessen herauszudeuten, was vordergründig dort zu lesen ist.

Die Grenze zwischen dem Komischen und dem Albernen

Zu dieser alten Erfahrung tritt schmerzlich eine frische hinzu, von der etliche Deutschlehrer berichten: Unter jugendlichen Lesern läßt das Verständnis für Ironie und überhaupt für jede Form von Sprachwitz deutlich nach, zu schweigen von der Freude daran. Die setzt vermutlich ein herzliches Verhältnis zur Sprache voraus, und das ist selten geworden im Zeitalter der Videoclips und der Computerspiele.

Von jeher freilich haftet dem Versuch, mit Wörtern witzig umzugehen, ein weiteres Risiko an: daß Leser nicht Komik entdecken, sondern Albernheit. Während die Ironie sich scheinheilig der harmlosesten Wörter bedient, macht das Wortspiel die *Absicht* des Schreibers deutlich, heiter zu sein – und das kann ernste Folgen haben: nämlich Naserümpfen und Verstimmung.

Gelungen finden vermutlich die meisten das Paradoxon in der Bundesbahn-Reklame von 1993: **Ein Jahr Deutschland. Für alle. Für die Hälfte.** Oder im SPIEGEL den Satz des Kritikers über einen Roman, der die gute alte Zeit verherrlicht: **Da war, bekanntlich, der Mann noch ein Mann und das Weib noch ein Leib…**

Doch die Zumutungen an den Geschmack sind häufiger. Nicht jeder mag zum Beispiel den beliebten *Klammerwitz* (der Doppelsinn wird durch einen eingeklammerten Buchstaben erzeugt): **Der Wett(g)eifer der Politiker.** Nicht jeder findet es komisch, daß viele Wirtschaftsredakteure in ihren Überschriften die Metaphern quälen: **Pirellis Gewinnprofil ist abgefahren.**

In der deutschsprachigen Presse festgefressen hat sich die SPIEGEL-Marotte, phantasievolle Personenbeschreibungen so vor einen Namen zu setzen wie «Bäckermeister» oder «Regierungsrat»: **Kohl-Schatten Bohl** liest man da oder **Seit dem Ausscheiden von Show-Legende Jonny Carson…** Hier wird erstens, wiederum nach

SPIEGEL-Vorbild, der Genitiv unterschlagen (Das Ausscheiden *der* Show-Legende, fordert die Grammatik) und zweitens mit verbissener Konsequenz jene Wortstellung vermieden, die das Sprachmodell entkrampfen würde: «Seit dem Ausscheiden von Jonny Carson, der Show-Legende...»

Kurzum, die Faustregel muß lauten: Größte Vorsicht mit aller Ironie – Finger weg von jedem Spiel mit Worten, das mehr Krampf als Spiel ist und das vielleicht nur den Schreiber selbst ergötzt.

Fachwörter für Wortspiele

Ambiguität (lat.: Doppeldeutigkeit):

1. Vorsätzliche Doppeldeutigkeit (Wortspiel): Das Wort *Familienbande* hat einen Beigeschmack von Wahrheit (Karl Kraus).
2. Fahrlässige Doppeldeutigkeit – eine häufige Panne (Die meisten Kinder haben Ausländerinnen).
3. Unentrinnbare Doppeldeutigkeit: Laut Duden heißt *frugal* bescheiden und üppig, *Untiefe* eine besonders tiefe oder eine besonders flache Stelle.

Katachrese (griech.: mißbräuchliche Verwendung): der Gebrauch von unpassenden Wörtern und schiefen Bildern. Wir werden das bevorstehende Aufgabenfeld jetzt zügig über die Bühne bringen (CSU-Generalsekretär Erwin Huber). Zu lange wurde die katastrophale Lage unter den Teppich gekehrt (HANNOVERSCHE ALLGEMEINE).

Oxymoron (griech.: scharfsinnig-dumm): das mutwillige Zusammenspannen

1. einander widersprechender Begriffe (*Paradoxon*)
2. des stilistisch Unverträglichen: Kuhreigen der Freiheit (Heine über die Marseillaise), Nirgends wird einem der Hauch des

Alls so aufs Butterbrot geschmiert (Alfred Kerr über Sylt), Odysseus verduftete.

Paradoxon (griech.: Gegenmeinung): Kombination zweier Begriffe, die einander auszuschließen scheinen – elende Pracht (Thomas Mann), Sudelbücher für die Ewigkeit (die FAZ über Lichtenbergs Aphorismen), Haßliebe, beredtes Schweigen, verschlimmbessern.

Parechese (griech.: Anklang): scherzhafte Reimhäufung. Wie's mit der Gong-Gang ging (FAZ). Milch macht müde Männer munter.

Zeugma (griech.: Verbindung, die schiefe Verbindung unverträglicher Wörter): Mit einer Gabel und mit Müh' zieht ihn die Mutter aus der Brüh' (Wilhelm Busch).

Regel 42: Aha-Erlebnisse anbieten

Alle bisherigen 41 Regeln würden nicht viel nützen, wenn dem Brief, dem Artikel, dem Essay das Entscheidende fehlte: die Substanz. Wer schreiben will, sollte vor allem anderen Schopenhauers *Erste Regel des guten Stils* zu befolgen suchen: «daß man etwas zu sagen habe: O, damit kommt man weit!»

Von jedem Text, von jedem Absatz, ja von jedem Satz wünschen sich Leser und Leserin, daß er sie ein bißchen schlauer macht, idealerweise sie verblüfft oder amüsiert. Wer sich zum Schreiben hinsetzt, muß sich folglich fragen, ob er überhaupt etwas mitzuteilen hat, das mindestens eine dieser drei Anforderungen erfüllt.

Sodann braucht er für seinen Text eine Dramaturgie, die das Interessante, Witzige oder Überraschende so herausstellt und so plaziert, daß der Leser es findet, ohne suchen zu müssen; dazu gehört die Kunst des Anfangs, von der die Regeln **44** bis **50** handeln.

Ein kleines Aha! für jeden Satz

Und schließlich sollte der Schreiber dafür sorgen, daß ein Teil des Neuen, Erstaunlichen oder Komischen *in jedem Satz* enthalten ist. Berlin ist Deutschlands größte Stadt, das mag für Sechsjährige neu sein und wäre in einer Fibel legitim. Für Erwachsene ist es eine Binsenweisheit, und sie darf niemals die einzige Aussage eines Satzes bilden. «Da Berlin...» oder «Berlin ist zwar...»: So müßte der Text beginnen; enden müßte er mit einer Botschaft, die dem Leser Neues bietet.

Die Warnung vor zu vielen oder zu früh eingeschobenen *Punkten* (Regel **36**) gilt es unter diesem Aspekt noch einmal zu bedenken: Wehe dem, der einen Punkt setzt, ehe sein Satz das Neue transportiert hat! Langweilig ist der Werbetext einer Bausparkasse:

> Am liebsten wollen Kinder spielen und herumtoben. Das ist ja auch ganz natürlich. Aber in den meisten Mietshäusern...

Die beiden ersten Sätze sind so wahr, daß man mit dem Nicken gar nicht nachkommt. Also sind sie schlecht. Man hätte ja schreiben können: «Kinder wollen toben – aber wie steht's damit in den meisten Mietshäusern?»

Zwischen zwei Punkten hat etwas zu passieren: Etwas, das mich klüger macht, staunen macht, schmunzeln macht; und ehe dieser Effekt nicht erzielt ist, möge der Schreiber mit Komma, Gedankenstrich, Semikolon oder Doppelpunkt signalisieren: weiterlesen – gleich kommt's!

Der Reiz des Unerwarteten

Ein Meister im Anbieten des Unvermuteten ist Stuttgarts Oberbürgermeister Manfred Rommel. In einem einzigen SPIEGEL-Artikel von 1993 fand sich ein Dutzend Passagen von folgender Art:

> Viele Einpersonenhaushalte wählten Grün. Auch das bestätigt meine eigenen Erfahrungen: Wer bereits zu seinen Gunsten über die Natur verfügt hat, setzt sich gern dafür ein, daß der Rest der Natur erhalten bleibt.

Oder: Die Politiker müßten manchen Bürgergruppen

> gelassen gegenübertreten, die sich wie Kleinkinder benehmen, die ihren Schnuller auf den Boden werfen und auf ihm herumtrampeln, wenn ihnen etwas nicht paßt.

Und weiter Rommel:

> Heute tragen viele so schwer an ihrer eigenen Meinung, daß sie keine zweite, womöglich auch noch eine abweichende, ertragen können. Das ist in Wahrheit unser Problem. Wir müßten umdenken, aber wir wollen nicht.

Zur schieren Wohltat wird dieses Rezept, wenn ein Schreiber etwas anbieten kann, was man von ihm oder an diesem Platz nicht erwartet hätte – wenn beispielsweise ein Journalist, der bisher für den Bundeskanzler eintrat, ihn plötzlich tadelt; wenn eine Zeitschrift wie ESSEN & TRINKEN nur scheinbar von den Umweltschützern in Ruhe gelassen werden möchte, um dann jäh auf sie einzuschwenken:

In der guten alten Zeit, als es noch wirklich mühsam war, Leute zu vergiften (Schneewittchens Stiefmutter zum Beispiel konnte nicht einfach in einen beliebigen Laden gehen und einen einschlägig vorbehandelten Apfel kaufen), in jener Zeit also gab's den Vorkoster, der mit dem Ruf «Majestät, das Rührei ist vergiftet!» pflichtschuldigst tot umfiel und dermaßen dem Landesvater das Leben rettete. Dieser Vorkoster alter Schule ist nicht mehr, aber dafür gibt's eine gar nicht so kleine Minderheit von Leuten, die uns unaufhörlich mit ihrem «Gift»-Geschrei beim Essen und Trinken stören. Wofür wir ihnen – der folgende Artikel beweist es – zu Dank verpflichtet sind.

Freudiges Erstaunen kann auch dem widerfahren, der, mit hundert Versen über die ergreifende Schönheit des Sternenhimmels im Hinterkopf, bei Friedrich Rückert folgendes Gedicht entdeckt:

Um Mitternacht
hab ich gewacht
Und aufgeblickt zum Himmel.
Vom ganzen Sterngewimmel
Hat mir kein Stern gelacht
Um Mitternacht.

Das sind übrigens schiere Hauptsätze, wie in der Lyrik fast immer, ohne Adjektive, wie so oft.

Regel 43: Bewegung vermitteln

Wenn die Sonne im Zenith über einer menschenleeren Wüste steht oder wenn es gilt, die Ausnahmen von einer Versicherungsleistung aufzuzählen – dann schlägt des Schreibers schwerste Stunde: Denn hier bewegt sich nichts. Es schreibt sich leichter über einen (und jedermann liest lieber von einem) Orkan über Florida oder einem Versicherungsfall wie dem Untergang der «Titanic».

Wer also die Freiheit hat, über Wirbelsturm und Untergang zu schreiben, der tue dies. Leider haben die meisten Schreiber in den meisten Lebenslagen diese Freiheit nicht. Doch eben deshalb sollten sie ihr Problem erkennen und ihrem Thema ein Quantum Dynamik abzulisten trachten. Wer sucht, der findet sie überall, vor allem auf drei Wegen.

Im scheinbaren Stillstand die bewegten Elemente finden

Nicht alles, was erstarrt zu sein scheint, ist wirklich regungslos. Vielleicht entdeckt man in einem toten Gemäuer einen Menschen, der handelt oder leidet; in der Wüste wenigstens eine Eidechse, die in den Schatten eines Steines huscht. Wer scharf hinsieht, kann sogar dem Kölner Dom mit seinen 160000 Tonnen toten Steins ein wenig Bewegung abgewinnen:

> Wenn am ersten milden Frühlingstag der Küster die Portale weit öffnet, dann drücken 200000 Kubikmeter Winterluft, 43 Meter hoch gestaut, ins Freie und blasen dem Besucher als Eiswind entgegen. Vor allem aber entstehen in den Klüften und Spalten aus 50 Strebepfeilern, jeder höher als ein durchschnittlicher Kirchturm, aus 124 Strebebögen und 11000 Ziertürmen zu allen Jahreszeiten Fallwinde und ein tückischer Zug, der die Wanderfalken erfreut, die Passanten erschreckt und gegen den Stein arbeitet wie ein Sandstrahlgebläse.

Eine wirkliche Bewegung nicht unter statischen Wörtern ersticken

Ein Mensch, der Kleingeld braucht, aber keines bei sich hat, wird sich meist vergewissert haben, indem er seine Taschen durchsuchte oder abklopfte. Das ist Bewegung; also verschenkt man vorhandene Dynamik, wenn man nur berichtet, was er nicht hatte. Bei jedem achtlos hingesetzten *haben* oder *sein* lohnt es sich zu prüfen, ob sich dahinter nicht ein Ablauf verbirgt. Er *hatte* Angst? Vermutlich war sie doch in ihm aufgestiegen, sie beschleunigte seinen Puls, sie legte sich ihm auf den Atem, sie griff ihm an den Hals.

Von A nach B gehen

Wer nicht erzählt, sondern argumentiert oder nüchtern informiert, dem stehen die beiden ersten Wege nicht zur Verfügung; Richtlinien, Beipackzettel oder kurze Briefe lassen der Bewegung keinen Raum. Gebrauchsanweisungen schon eher: Hier soll ja zum Beispiel ein Feuer bekämpft oder aus Teilen ein Ganzes montiert werden, und falls der Verfasser dies dem Benutzer mit frischen, schlichten Wörtern schildert, verhält er sich menschenfreundlich und geschäftstüchtig zugleich.

Die Regel von «A nach B gehen» ist der Ausweg für – und die Forderung an – solche Texte, denen keinerlei Bewegung in der Wirklichkeit entspricht: Kommentare, Leitartikel und Essays, auch Briefe und wortlastige Inserate, wenn sie lang genug dafür sind. Die Regel besagt, nur scheinbar simpel: Wer mit A anfängt, darf nicht mit A aufhören, sondern muß seine Leser nach B geführt haben. Eine Argumentation darf weder statisch verharren noch sich im Kreise drehen – sie muß die Leser vom Ausgangspunkt weg zu einem anderen Punkt geleiten. Wo sich sonst nichts bewegt, sollten es die Gedanken sein.

Womit wir wieder bei der vorigen Regel wären: Auch Aha-Erlebnisse sind Bewegungen – sie tauchen unvermutet auf, machen uns staunen, lachen oder wenigstens einverständlich nicken und haben uns ein Stück vorangebracht.

Der richtige Anfang

Regel 44: Die «Einleitung» abschaffen

«Erstaune mich – ich warte.» Mit diesen Worten machte es sich der russische Ballett-Impresario Sergej Diaghilew einst vor Jean Cocteau bequem. Was Millionen Hörer und Leser unbewußt empfinden – er sprach es aus: Sie wollen staunen, erschrecken, schmunzeln oder sich bereichert fühlen, wenn sie zur Kenntnis nehmen sollen, was ein anderer spricht oder aufgeschrieben hat; und lange warten auf einen dieser Effekte wollen sie nicht. In den ersten Sekunden, im ersten Absatz, idealerweise schon mit dem ersten Satz wollen sie gefesselt werden oder zumindest das Signal empfangen haben: Hier lohnt es sich, weiter Zeit und Aufmerksamkeit zu investieren.

Das Problem mag noch gering sein, wenn einer sich entschlossen hat, *ein Buch* zur Hand zu nehmen: Den muß die erste Seite schon fürchterlich langweilen, damit er sich nicht wenigstens bis zur zweiten voranarbeitet; ein fader erster Satz enthält also für den Autor kaum das Risiko, einen erheblichen Teil seiner potentiellen Leser zu verlieren. Dankbar freilich sind auch Bücherleser, wenn sie sogleich begrüßt werden wie von Johann Ludwig Casper anno 1856 in seinem «Praktischen Handbuch der gerichtlichen Medizin»: Meine Mörder sahen alle aus wie junge Mädchen.

Mal entscheiden 17 Sekunden...

Beim Radio dagegen lautet der für Journalisten schmerzliche Erfahrungswert: Im Durchschnitt entscheidet sich binnen 17 Sekunden, ob Hörer sich einem Wortbeitrag zuwenden oder ob sie «abschalten» (abdrehen oder ihre Aufmerksamkeit abziehen, das läuft aufs selbe hinaus). 17 Sekunden, das sind etwa vier Zeilen Text. Bis dahin also muß der Frosch mit der schwarzen Maske seinen Mord begangen haben oder etwas vergleichbar Interessantes geschehen sein – sonst war die Arbeit an allen folgenden Zeilen umsonst.

Dabei sind vier Zeilen eher viel; oft vermutlich nur durchzuhalten, weil eine angenehme Stimme oder eine lebhafte Sprechmelodie dem Hörer Reize bieten, die der Leser nicht empfangen kann. Für Leser, wenn sie sich nicht ausdrücklich auf ein Buch einlassen, gilt vermutlich eine noch kürzere Entscheidungsphase.

...und mal zwei Zeilen

Ein fast erschreckendes Indiz dafür liefern jene Nachrichtenredakteure in Zeitungen und Radio, die sich vom Angebot der Nachrichtenagenturen nur die beiden ersten Zeilen auf den Bildschirm holen und allein nach ihnen beurteilen, ob sie den gesamten Text abrufen. Es wäre nicht erstaunlich, wenn sich *die Leser* ihrer Zeitungen gegenüber den gedruckten Texten großenteils ähnlich verhielten: Zwei Sätze, Schreiber, hast du Zeit, mich zu gewinnen; vielleicht nur einen; und vielleicht nicht einmal den, wenn es sich nämlich um einen langen ersten Satz handelt.

Chefredakteure sind ungeduldig

Noch kurzatmiger gehen die Leser vermutlich mit Werbetexten um. Und wieviel Geduld bringen die Empfänger allzu vieler *Briefe* auf – Geschäftsleute also, Büroleiter, Personalchefs, Chefredakteure? Ein pflichttreuer Personalchef wird jeden Bewerbungsbrief vollständig lesen – es sei denn, er wäre mehr als eine Seite lang. Aber es gibt auch faule Personalchefs und solche, die an ihrer Post ersticken; und über den Chefredakteur, der sich am Freitag seufzend die hundert Bewerbungen der Woche mit nach Hause nimmt, darf man behaupten: Absender, die es nicht in zwei bis vier Zeilen geschafft haben, sein Interesse zu gewinnen, werden wahrscheinlich mit einer Routine-Absage abgespeist.

Der erste Satz spielt also eine Schlüsselrolle in der halbbewußten Güterabwägung, die Leser vorzunehmen pflegen: Wie verhält sich meine Investition an Zeit und Aufmerksamkeit zu meinem mutmaßlichen Gewinn an Information, Überraschung, Grusel- oder Schmunzelstoff? Lohnt sich die kleine Mühe der Lektüre, oder suche ich noch im selben Text nach einem anderen Reiz, oder springe ich weiter zum nächsten? Weiter lese ich wahrscheinlich, wenn der erste Satz lautet:

> Ich verbrachte mehrere Tage und Nächte im September mit einem kranken Schwein, und es treibt mich, über diese Phase zu berichten, vor allem deshalb, weil das Schwein schließlich starb, während ich weiterlebte, und weil es ja leicht auch umgekehrt hätte laufen können – und wer hätte dann berichten sollen?
>
> E. B. White im NEW YORKER

Nicht weiter lesen wahrscheinlich die meisten, wenn in der FAZ ein Text mit dem Satz beginnt:

> Das Bundesverwaltungsgericht hat die Aussetzung der sofortigen Vollziehung der gegen die rechtsextremistischen Gruppierungen «Nationalistische Front», «Deutsche Alternative» und «Nationale Offensive» von Bundesinnenminister Seiters (CDU) erlassene Verbotsverfügung abgelehnt.

Einladend sein um jeden Preis

Natürlich: Der jeweils erste Satz eines Vortrags, eines Bewerbungsbriefs und einer Reportage können und sollen nicht viel miteinander gemein haben – nur das Entscheidende eben doch: attraktiv zu sein um fast jeden Preis für den oder die, auf die sie zielen. Diese klare Ausrichtung erzeugt Gemeinsamkeit genug, um diese und die folgenden Regeln praktikabel zu machen.

Am Anfang möge die Einsicht stehen: Kein Text beginnt mit einer «Einleitung», wie es die Schule lehrt, sondern entweder mit der Hauptsache – oder mit einer Provokation – oder mit einer farbigen, aufregenden Nebensache, die alsbald zur Hauptsache hinführt. Von diesen drei Modellen handeln die folgenden Regeln. *Was* jeweils wichtig, provokant oder aufregend ist, wird je nach dem Zweck des Textes unterschiedlich zu entscheiden sein; es dominiert das Verbindende: Die «Einleitung» ist abgeschafft.

Romane zum Vergleich

Bei so viel Gemeinsamkeit werden im folgenden die ersten Sätze von Romanen, Erzählungen, Sachbüchern, Essays immer wieder als gleichberechtigte Beispiele herangezogen. Zwar haben Romanciers die Freiheit, sich die dramatische Verwicklung auszudenken, auf die sie ihren Einstieg stützen wollen, und die haben andere Schreiber nicht; doch verlieren Buchautoren andererseits kaum jemals einen Leser durch einen lauen ersten Satz. Um so höher sollten wir die auch bei ihnen oft anzutreffende Absicht schätzen, dem Appell des Dr. Faust zu folgen: «Bedenke wohl die erste Zeile», und das Talent, diese Zeile mit Kraft aufzuladen.

Auch zweite und folgende Sätze werden oft zitiert, und zwar aus zwei Gründen: Ist der erste Satz nicht einmal eine Zeile lang, so wird der Leser auch an einer tristen Aussage nicht scheitern. Beginnt der Text mit einem schmucken Detail, wie in Reportagen und Magazingeschichten üblich, so lautet eine entscheidende Frage, wann und wie der Autor zum Kern seines Themas überleitet.

Der einzige Fall, in dem man an einer Einleitung festhalten sollte, ist der *Bewerbungsbrief*; aber auch nur dann, wenn er auf eine Ausschreibung antwortet. Da empfiehlt sich als Anfang ein Satz von der Art: «Hiermit bewerbe ich mich um...» Für unverlangte Bewerbungen aber gilt dieselbe Grundregel wie für alles, was Zeitungen und Zeitschriften drucken: «Erstaune mich – ich warte.»

Wie Laien vielleicht eher nicht beginnen sollten

«Eh bien, mon prince, Genua und Lucca sind weiter nichts mehr als Apanage-Güter der Familie Bonaparte. Nein, ich erkläre Ihnen, wenn Sie mir nicht sagen, daß wir Krieg bekommen werden, und wenn Sie sich noch einmal unterstehen, alle Schandtaten und Grausamkeiten dieses Antichristen in Schutz zu nehmen (denn daß er der Antichrist ist, das glaube ich), so kenne ich Sie nicht mehr. Vous n'êtes plus mon ami, vous n'êtes plus mein treuer Sklave, comme vous dites. Vor allem aber: Guten Abend, guten Abend. Je vois que je vous fais peur. Setzen Sie sich und erzählen Sie.»

So sprach im Juni 1805 das bekannte Hoffräulein Anna Pawlowna Scherer, die Vertraute der Kaiserin Maria Fjodorowna, als sie den Fürsten Wassilij empfing, einen hohen, einflußreichen Beamten, der als erster zu ihrer Abendgesellschaft erschien.

Tolstoi, «Krieg und Frieden»

Nach einer anfänglich leichten, durch Verschleppung und Verschlampung aber plötzlich zu einer schweren gewordenen Lungenentzündung, die meinen ganzen Körper in Mitleidenschaft gezogen und die mich nicht weniger als drei Monate in dem bei meinem Heimatort gelegenen, auf dem Gebiete der sogenannten Inneren Krankheiten berühmten Welser Spital festgehalten hatte, war ich, nicht *Ende Oktober,* wie mir von den Ärzten angeraten, sondern schon *Anfang Oktober*, wie ich unbedingt wollte und in sogenannter Eigenverantwortung, einer Einladung des sogenannten Tierpräparators Höller im Aurachtal Folge leistend, gleich in das Aurachtal und in das Höllerhaus, ohne Umweg nach Stocket zu meinen Eltern, *gleich* in die sogenannte höllersche Dachkammer, um den mir nach dem Selbstmord meines Freundes Roithamer, der auch mit dem Tierpräparator Höller befreundet gewesen war, durch eine sogenannte letztwillige Verfügung zugefallenen, aus Tausenden von Roithamer beschriebenen Zetteln, aber auch aus dem umfangreichen Manuskript mit dem Titel *Über Altensam und alles, das mit Altensam zusammenhängt, unter besonderer Berücksichtigung des Kegels*, zusammengesetzten Nachlaß zu sichten, möglicherweise auch gleich zu ordnen.

Thomas Bernhard, «Korrektur»

Regel 45: Die Sinne bedienen

Ein klassisches Mittel, Leser-Interesse zu wecken, ist der Appell an die Sinne. Die konkreten, prallen Wörter (in den Regeln **10** und **11** empfohlen) bieten, in den ersten Satz gehoben, eine der großen Chancen, zur Lektüre zur verführen. Da mag ein statisches Bild entstehen, wenn es nur stark ist:

> Bei 33 Grad im Schatten lag der Boulevard Bourdon vollständig verlassen da.
>
> Flaubert, «Bouvard und Pécuchet»

Oder ein bedrohliches Bild:

> Der Knabe war klein, die Berge waren ungeheuer.
>
> Heinrich Mann, «Die Jugend des Henri Quatre»

Oder ein bewegtes:

> Die Sonne tauchte blutrot, winzig und vergrämt aus den Nebeln.
>
> Joseph Roth, «Die hundert Tage»

An das Ohr kann man sich wenden wie Clemens Brentano in seinem Roman «Godwi oder Das steinerne Bild der Mutter»:

> Hu! Es ist hier gar nicht heimisch, ein jeder Federstrich hallt wider, wenn der Sturm eine Pause macht.

Werden Auge und Ohr zugleich mit einem Reiz versehen, so spielt der Autor einen seiner höchsten Trümpfe aus.

> Der Winter des Jahres 1788 war so streng, daß die Schindelnägel auf den Dächern krachten, die armen Vögel im Schlaf von den Bäumen fielen und Rehe, Hasen und Wölfe ganz verwirrt bis in die Dörfer flüchteten.
>
> Eichendorff, «Autobiographie»

> Der Januarsturm fegte von Westen her durch den Kanal, er orgelte in der Takelage und jagte immer wieder schwarze Regenböen vor sich her.
>
> C. S. Forester, «Fähnrich Hornblower»

Der Orkan, das war ein Vogelschwarm hoch oben in der Nacht; ein weißer Schwarm, der rauschend näherkam und plötzlich nur noch die Krone einer ungeheuren Welle war, die auf das Schiff zusprang.

Christoph Ransmayr, «Die letzte Welt»

Namen von Unbekannten

In der Literatur wie im Journalismus gleichermaßen beliebt ist die Übung, an den Anfang statt eines Sinneseindrucks den bloßen *Namen* eines Menschen zu setzen; offenbar in der Hoffnung, daß schon damit eine kleine Spannung, eine Prise Anschaulichkeit gewonnen wird. Etwa so:

Den 20. Jänner ging Lenz durchs Gebirg.

Georg Büchner, «Lenz»

Lenore fuhr ums Morgenrot
Empor aus schweren Träumen.

Gottfried August Bürger, «Lenore»

Dies also, dies ist das Leben, Michael Unger?

Ricarda Huch, «Michael Unger»

Scarlett O'Hara war nicht eigentlich schön zu nennen.

Margaret Mitchell, «Vom Winde verweht»

Aber Jakob ist immer quer über die Gleise gegangen.

Uwe Johnson, «Mutmaßungen über Jakob»

Ilsebill salzte nach.

Günter Grass, «Der Butt»

Zwar bleibt der Leser zunächst ratlos, wer Ilsebill ist und was sie salzt; vermutlich aber reizt uns der Farbtupfer der kleinen Handlung in Verbindung mit der kleinen Frechheit, die in einem so jäh hingesetzten Anfang liegt.

Das muß man freilich können. Viele *Journalisten* machen, wenn sie unverdrossen mit einem Namen beginnen, einen von drei Fehlern:

1. Personen oder Orte mit exotischen Namen hämmern auf den Leser ein: Pakrac, im August. – Am Ortseingang von Kukunjevac be-

schleunigt die kroatische Fahrerin ihren Renault. (SÜDDEUTSCHE ZEITUNG)

2. Per Sternchen und Fußnote erfährt der Leser sogleich, daß es sich um einen erfundenen Namen handelt: Franz Conradis * Vater war gestorben (STERN – «Name von der Redaktion geändert»). Was bringt mir das?
3. Der Mensch, für den ich mich interessieren soll, ist sehr weit weg von der Handlung, zu der er mich doch hinführen soll. Zwei Fälle aus einer Ausgabe von FOCUS:

   Mein Großvater hieß Josef Tölle, und er war das, was man einen kernigen Westfalen nennt.

Die Geschichte aber spielte in Potsdam. Zweites Beispiel:

> Schlaksig, hochaufgeschossen, leicht gebeugt, wie große Menschen das so an sich haben, die Hände tief in den Hosentaschen, badet er in der Menge. Das Gesicht, geprägt von der hohen Stirn…

Es handelt sich um Dieter Zetsche, und der ist stellvertretendes Vorstandsmitglied von Mercedes-Benz, der Firma, von der wiederum die Geschichte handelt. Oft werden Namen in öder Routine hingedudelt wie hier in der BRIGITTE:

> Dinnerparty in Auckland, Neuseeland. Ein Dutzend Freunde sitzen am Tisch und warten auf den großen Fisch, den Hausherr Humphrey nachmittags vor der Insel Rangitoto gefangen hat.

Der szenische Einstieg

Das waren zugleich drei typische Beispiele für eine verbreitete Journalisten-Sitte, die in manchen Redaktionen verehrt wird wie eine heilige Kuh: daß eine Reportage oder eine Magazin-Geschichte mit einer *Szene* beginnen müsse. Der «szenische Einstieg» ist das Standardmodell der SPIEGEL-Story und in ihrem Schlepptau aller Nachrichten- und Wirtschaftsmagazine: Der Text beginnt mit einem Menschen, den der Leser zumeist nicht kennt, in einer Situation, die er hoffentlich interessant findet. Auch die aktuellen Illustrierten verfahren so, und für die Reportagen in den meisten Tageszeitungen hat die SÜDDEUTSCHE ZEITUNG in den fünfziger Jahren mit ihrer dritten Seite diesen Einstieg als Regel mit wenigen Ausnahmen etabliert.

Es gibt gute, schwache und krampfhafte szenische Einstiege. Auch die guten sind mit drei Nachteilen behaftet:

1. Sie haben, nach den ersten dreihunderttausend Verwendungen, die Originalität nicht mehr zum Verbündeten.
2. Sie spielen sich auf, als könnte es keine saftigen, überraschenden, großartigen Anfänge geben, die keine Szene schildern.
3. Sie schaffen das Problem: Wann spätestens muß der Autor die Kurve von seiner Szene zu seiner Sache nehmen – wie lange erträgt es der Leser, das Thema nicht identifizieren zu können oder das in der Überschrift gegebene Versprechen immer noch nicht eingelöst zu finden?

Ein langer Weg zum Thema

Das sind die Nöte mit allen szenischen Einstiegen, auch den guten. Die schlechten dominieren. Viele sind erkennbar erfunden oder an den Haaren herbeigezogen (Egon K. empfand einen lästigen Druck in der Blase); viele entfernen sich, dem ehernen Gebot zuliebe, unüberschaubar weit von der Sache, zu der sie doch hinleiten sollen. Ein typisches Muster aus einer SÜDDEUTSCHEN ZEITUNG von 1992 nach dem Modell von 1950:

> Empörung erstickt ihm fast die Stimme, wenn Ron Nachman sich bemüht, seinen ganzen Zorn anzukurbeln. Dann wird sein weiches, von Erfahrung noch nicht gezeichnetes Gesicht mit einem Schlag blaß, und er sieht so aus, als würde gleich purer Ekel in ihm aufsteigen. Ron Nachman unterstreicht mit dieser suggestiven Selbstinszenierung all das, was er, Hochmut in den Augen, gegen Amerikas Präsidenten vorzubringen hat.

Thema der Reportage: die bevorstehenden Wahlen in Israel; Überschrift: «Der wirkliche Feind ist in uns»; eine mutmaßlich verbreitete Leser-Reaktion: Über Ron Nachman habe ich mehr erfahren, als ich je zu erfahren wünschte – was soll mir das? Wie lange muß ich suchen nach meinem Lust- oder Informationsgewinn? Jener Leser, der nach dem «Feind in uns» nicht länger fahnden möchte, sollte als entschuldigt gelten.

Das ist ja das Kardinalproblem, auch bei den guten Szenen: Wann muß der Autor zur Sache kommen? In der ZEIT kursiert die Faustregel: schon im zweiten Satz. Erst den zweiten Absatz fordert CAPITAL als Übergang; in dem Wirtschaftsmagazin dominiert das Muster: **Als Egon K. den Motor seines Sportwagens anließ...**, so beginnt der Text, und der zweite *Absatz*: **Wie Egon K. geht es Millionen, die...** Diese Sitte erspart dem Leser die Irritation, auf die er anderswo oft stößt – freilich auch jede Überraschung (und das Lesevergnügen, das mit ihr verbunden sein kann).

Im SPIEGEL gilt ebenfalls der zweite Absatz als der erwünschte Platz, das Thema zu entrollen («aufzuschäumen», sagt man in der Redaktion). In der Praxis stößt der Leser auf viele Geschichten, die ihn weit später informieren.

Die verschenkte Verblüffung

Warum aber beginnen Reportagen so selten mit einem Satz, der auf Verblüffung zielt? Wird nicht eben diese in vielen Reportagen angeboten, irgendwo im Text? Sollte man nicht geradezu fragen dürfen, ob eine Reportage es wert war, geschrieben zu werden, wenn sie *nichts* bietet, was zum Staunen ist? Darüber in der nächsten Regel mehr.

Spiegel-Story

Im SPIEGEL-Heft 14/1993 begannen 22 Geschichten szenisch. Die 22 ersten Sätze lasen sich so:
Was wäre Walenty Kozlowski aus Zielona Góra ohne seine Gartenzwerge? Kühl blickt der Carabinieri-General Carlo Alberto Dalla Chiesa seinem Gegenüber in die Augen. Erst predigt er Prosa, schüchtern und zögerlich. Die Schüsse, die sein Leben veränderten, feuerte der Polizeibeamte, damals 28, im Liegen ab. Der Tod kam immer seltener aus den Flintenläufen der Jäger.

«Die Reiterei und die Landwirtschaft», sagt Rodo Schneider, 49, «sind doch eine ideale Kombination.» Der SPD-Abgeordnete Hinrich Kuessner wagte einen Vorbehalt. Die Nachricht war wichtig, ein Mitarbeiter reichte sie dem CSU-Vorsitzenden in die laufende Kabinettssitzung hinein. High-noon in Bonn. Die flämische Stadt war tief gesunken.

Der Diplom-Wirtschaftsmathematiker Gerhard Borchers aus Schwäbisch Hall kam vergangene Woche kaum zur Arbeit. Ulrich Lange, 39, nennt sich selbst einen «talkative man», einen Vieltelefonierer. Der afrikanische Sänger auf der Bühne des Pariser Olympia reckt ein Werbeplakat in die Luft. Gleich muß Les Richard McKeown wieder ganz der alte sein.

Seit fast sechs Monaten sitzt Florio Fiorini, 53, in einer Zelle von Champs Dollon, dem Gefängnis von Genf. Die Kugel kam wie aus dem Nichts und tötete den Obergefreiten Lawrence Dickson bei einem Patrouillengang durch die Felder im nordirischen Forkhill nahe der Grenze. Dezent geschminkt, in einem gedeckten Kostüm ließ sie sich auf einem der begehrten Plätze nieder.

Roman Haltper, 19, hat sein Leben hinter sich. Zum 42. Geburtstag bekam der katholische Pfarrer im thüringischen Breitenworbis ein besonderes Geschenk: Eine Werkstatt in der westdeutschen Bischofsstadt Paderborn schickte ihm den restaurierten Fuß einer wertvollen Monstranz zurück. Shujiro Tachikawa, 62, hatte seine Mutter mit einem Betonklotz erschlagen und danach seine Frau, die zugesehen hatte, erdrosselt.

Hoch droben auf dem Berg thront die Burg, mit zackigen Türmen und wehrhaften Zinnen. Fanfarenstöße zerreißen die Stille, Adolf Hitler, Führer des Reiches, Schirmherr der Olympischen Spiele, schreitet über die Stufen der Treppe, die neben dem Marathontor in den Innenraum führt.

Regel 46: Staunen machen

Mirko S. legte noch zwei Scheite Holz nach, begann eine Reportage aus Sibirien. Sie hätte, ihrem Inhalt nach, beginnen können: «Am gemütlichsten ist es in Jakutsk bei minus 60 Grad – wenn der Wodka kreist, die Samoware summen und die Kachelöfen zeigen, was sie können.»

In Zaire, dem ehemaligen Belgisch-Kongo, hoffen viele auf Rekolonialisierung, teilte die SÜDDEUTSCHE ZEITUNG 1993 in einer Überschrift auf der dritten Seite mit. Womit fing der Text an?

> Mit brüllendem Motor legt die Fähre ab und nimmt Kurs auf Kinshasa.

Und wie hätte er anfangen können, wenn er auf Informations- und Lustgewinn gezielt hätte, statt sich der ausgeleierten Routine zu bedienen?

> Daß viele Weiße auf die Rückkehr der Belgier hoffen, ist nicht verwunderlich; aber viele Schwarze in den Armenvierteln reden ebenso.

Der Motor mit der Fähre hätte dann immer noch brüllen können. Szenen sind gut, sie bringen Beispiel, Anschauung, Bewegung. Warum nur hat sich unter Journalisten die Zwangsvorstellung eingenistet, ausgerechnet der Einstieg müsse szenisch sein? Er muß es nicht, und er war es zu oft und zu lange. Eine Szene ist am besten, wenn sie Verblüffung bietet; wer aber mit der Verblüffung beginnt, ist nicht auf Szenen angewiesen.

Es war ein strahlend kalter Apriltag, und die Uhren schlugen 13. So beginnt Orwells «1984». Der Autor gibt uns ein Rätsel auf, und die Neugier treibt uns weiter – obwohl wir zunächst keine Ahnung haben, ob die Lösung uns irgend etwas angeht. Noch besser natürlich, wenn der Schreiber es versteht, uns auf die Lösung Appetit zu machen, wie Kleist mit dem berühmten Anfang der «Marquise von O...»:

In M..., einer bedeutenden Stadt im oberen Italien, ließ die verwitwete Marquise von O..., eine Dame von vortrefflichem Ruf und Mutter von mehreren wohlerzogenen Kindern, durch die Zeitungen bekanntmachen: daß sie, ohne ihr Wissen, in andere Umstände gekommen sei, daß der Vater zu dem Kinde, das sie gebären würde, sich melden solle und daß sie, aus Familienrücksichten, entschlossen wäre, ihn zu heiraten.

Musik und Selbstverstümmelung

Für kommentierende oder essayistische Texte ist die verblüffende Feststellung als Anfang ideal: Nietzsche eröffnet seine Schrift «Jenseits von Gut und Böse» so:

Vorausgesetzt, daß die Wahrheit ein Weib ist – wie? Ist der Verdacht nicht begründet, daß alle Philosophen, sofern sie Dogmatiker waren, sich schlecht auf Weiber verstanden?

Mit einer nie vermuteten Zusammenschau brillierte die FAZ:

Die Verwandtschaft zwischen Sport und Selbstverstümmelung ist sprichwörtlich; weniger bekannt sind die gefährlichen Nebenwirkungen des Musizierens.

Eine Untersuchung der Frage, wann und wo das Leben auf Erden am angenehmsten gewesen sei, begann im SZ-MAGAZIN mit dem Satz:

Hätte ich es mir aussuchen können, so möchte ich ein englischer Lord gewesen sein, der frühestens 1885 das erstemal zum Zahnarzt mußte und sich spätestens im Juli 1914 bei einem Reitunfall das Genick brach.

Da zur Lösung des Rätsels die Lektüre des gesamten Artikels nötig war, polsterte der Autor seine einleitende Feststellung mit folgendem zweiten Satz gegen den Vorwurf der Abstrusität: «Das mag kurios klingen, aber es läßt sich verhältnismäßig seriös begründen, und dabei fallen auch ein paar Einsichten über unsere eigene Lage ab.»

Selbst juristischen Texten, meist zu Recht für unrettbare Trockenheit gefürchtet, läßt sich Überraschung, ja sprühendes Leben abgewinnen wie in der Schweizer Zeitschrift BEOBACHTER:

> Wanzen, Wespen und Würmer sind juristische Leckerbissen. Schon die rechtliche Zuordnung verursacht Probleme. Ist der Hundefloh – wie der dazugehörige Dackel – ein Haustier? Oder ein Untermieter? Oder bewegt er sich gar in rechtsfreiem Raume?

Kontraste herausarbeiten

Verblüffung ist nicht aus jedem Text herauszuholen. Häufig aber bietet der Inhalt einen Schritt auf diesem Wege an: wenn er nämlich einen zentralen Gegensatz enthält. Den abzumildern oder gar zu vertuschen wäre verfehlt; der Schreiber sollte ihn ausreizen und an den Anfang stellen.

So lieben es Schriftsteller: Kleist beschreibt den Michael Kohlhaas im ersten Satz der Novelle als einen der rechtschaffensten zugleich und entsetzlichsten Menschen seiner Zeit; Patrick Süskind verspricht in «Das Parfum» von einem Mann zu berichten, der zu den genialsten und abscheulichsten Gestalten dieser an genialen und abscheulichen Gestalten nicht armen Epoche gehörte.

So liebt es auch die politische Polemik. In der RHEINISCHEN ZEITUNG schrieb Karl Marx über die blutige Niederwerfung der Wiener Aufstände im Oktober 1848:

> Die kroatische Freiheit und Ordnung hat gesiegt und mit Mordbrand, Schändung, Plünderung, mit namenlos-verruchten Untaten ihren Sieg gefeiert.

Theodor Herzl begann 1897 einen Artikel mit den Worten:

> Unsere Wochenschrift ist ein «Judenblatt». Wir nehmen dieses Wort, das ein Schimpf sein soll, und wollen daraus ein Wort der Ehre machen.

Und selbst Reportagen ist der Einstieg mit dem Kontrast nicht fremd:

> Beherrscht verkündet die Museumsführerin: «Ich gebe nie persönliche Kommentare zu Kunstwerken ab. Nie.» Pause. «Aber das hier macht mich wirklich wütend.»
>
> STERN

Sie sind Tischler, Gärtner oder Kraftfahrzeugmechaniker. Sie haben kurze Haare und ein stilles Lächeln. «3 : 0 für Deutschland», flachsten sie, als sie am Montag von den drei toten Türkinnen hörten. Dann wurde erst mal Skat gedroschen.

SPIEGEL (über die rechtsradikalen Ausschreitungen in Mölln)

Sie ist enttäuscht, aber sie zeigt es nicht. Sie wurde betrogen, aber sie glaubt es nicht. Alle Welt sagt es ihr, aber sie hört nicht hin.

BUNTE (über die Witwe Uwe Barschels)

Auch Geschäfts- und Bewerbungsbriefe können davon profitieren, daß sie eine etwa vorhandene Gegensatzspannung an den Anfang stellen – womit sie nicht nur Interesse wecken, sondern überdies eine Aura der Ehrlichkeit herstellen; nach dem Muster: «Einerseits haben Sie mit Ihrer Beschwerde völlig recht. Andererseits ...» oder: «Ich bin zwar schon 32, also ziemlich alt für einen Volontärsbewerber – aber ...» Und nun würde idealerweise folgen: «... ich habe in Tokio und Berkeley Mikroelektronik studiert und spreche akzentfrei Englisch und Japanisch.»

Regel 47: Provozieren

Kontrast und Verblüffung lassen sich steigern zur gewollten Provokation: durch unverhüllte Bosheit, durch Zynismus, durch eine ungeheuerliche These.

Die Bosheit treibt Hörer wie Leser entweder zum Lachen oder zum Protest, jedenfalls mobilisiert sie – und das ist ja was. So begann die FAZ 1993 eine Architekturkritik mit den Sätzen:

> Er ist das Tor zum Osten und sieht auch so aus. Der Alexanderplatz wirkt wie ein Vorposten der Mongolei. Seine Leere und Weite spiegeln die östliche Mangelökonomie, deren einziges Luxusprodukt die maßlose Raumverschwendung war.

Und eine Glosse derselben Zeitung fing so an:

> Seit dem 20. Februar 1963, dem Uraufführungsdatum des «Stellvertreters», tut Rolf Hochhuth, als sei er ein Dramatiker.

Provozieren und gliedern

Provokation fesselt auch dann, wenn sie sich nicht gegen Menschen richtet, sondern gegen eingerastete Vorstellungen. Man kann sie hintupfen wie Johannes Gross:

> Die Bergpredigt ist des Erlösers berühmtester Text, aber nicht sein bester.

Man kann einen bitter ernsten Vortrag damit eröffnen wie Carl-Friedrich von Weizsäcker, als er 1963 den Friedenspreis des Deutschen Buchhandels entgegennahm:

> Der Weltfriede ist notwendig; man darf fast sagen: Der Weltfriede ist unvermeidlich. Aber der Weltfriede ist nicht das Goldene Zeitalter. Er könnte sehr wohl eine der düstersten Epochen der Menschheitsgeschichte werden.

Das war nicht nur brillant als Provokation, als Verführung zum genauen Hinhören also, wie Weizsäcker diese skandalöse These wohl begründen werde – sondern auch als vorweggenommene Gliederung: Sie zwang den Redner, wie jeder Hörer sogleich wußte, erst die Notwendigkeit, dann die Düsternis zu begründen und schließlich die beiden Hälften der Wahrheit aufeinanderprallen zu lassen. Mit den ersten Sätzen den Hörer sowohl eingefangen als auch mit einer klaren Erwartung bedient: Ein besseres rhetorisches Mittel gibt es nicht.

Das Rezept «Provokation plus Gliederung» bewährt sich auch dann, wenn es um ein weniger dramatisches Thema geht. So begann ein Essay der NEUEN ZÜRCHER ZEITUNG über die Tücken der deutschen Wortbildung mit dem Satz:

> Die Möglichkeit des Deutschen, Hauptwörter zusammenzusetzen wie Tischtuch oder Hustensaft, ist erstens ein Sumpf und zweitens ein Segen, ja für gebildete Ausländer ein Gegenstand des Neides. Es ist ein Sumpf, weil…

Der zynische Einstieg

Eine weitere Chance, Leser durch eine Provokation zu fangen, liegt in der kalkulierten Frechheit. Dieses Stilmittel verbietet sich naheliegenderweise für Briefe (außer für private, für die es ohnehin keine Rezepte gibt). Im Journalismus ist es selten, weil die Redaktion es sich zumeist nicht leisten kann, einen Teil ihrer Leser zu brüskieren.

Die Werbung operiert dann und wann damit; so eine Autofirma 1993 in FOCUS: «Steuertricks sind fies, gemein und rücksichtslos. Aber machen ungeheuer Spaß.» Das war die Überschrift; der erste Satz hieß:

> Es geht doch nichts über eine gesunde Antipathie gegenüber dem Finanzamt.

Viele Schriftsteller sind in den zynischen Einstieg geradezu verliebt:

> Am Nachmittag meines 81. Geburtstags, als ich mit meinem Buhlknaben im Bett lag, kam Ali und sagte, der Erzbischof wolle mich sprechen.

Anthony Burgess, «Der Fürst der Phantome»

So kann man über Kinder schreiben:

> Ich bin ein Kind des Kindergelds und eines arbeitsfreien Tages.
>
> Christine Rochefort, «Kinder unserer Zeit»

> Er hat acht Kinder in die Welt gesetzt und alles getan, um sie wieder abflatschern zu sehen.
>
> Georg Glaser, «Geheimnis und Gewalt»

Und so über ermordete Ehepartner:

> Es wäre vielleicht dramaturgisch überaus wirkungsvoll, wenn ich meine Geschichte in dem Moment beginnen ließe, als mich Arnold Baffin anrief und sagte: «Bradley, kannst du bitte mal herüberkommen? Ich glaube, ich habe eben meine Frau umgebracht.»
>
> Iris Murdoch, «Der schwarze Prinz»

> Sehr geehrter Herr Lampart, Sie haben meinen Mann getötet. Darüber möchte ich mit Ihnen reden.
>
> Fritz Dinkelmann, «Das Opfer»

Die Krone der Schamlosigkeit gebürt dem amerikanischen Erzähler Ambrose Bierce, Teilnehmer des Bürgerkriegs von 1861 bis 1865 und als Greis 1914 im mexikanischen Bürgerkrieg verschollen:

> Ich wurde als Kind armer, nämlich ehrlicher Menschen geboren, und bis ich 23 war, hatte ich keine Ahnung von dem Glück, das im Geld eines anderen liegen kann.
>
> Ambrose Bierce, «The City of the Gone Away»

> Der Umstand, daß er begraben wurde, schien Henry Armstrong kein Beweis, daß er tot sei; ihn zu überzeugen war schon immer schwer gewesen.
>
> Ambrose Bierce, «One Summernight»

> An einem Junimorgen des Jahres 1872 schlug ich meinen Vater tot – eine Tat, die damals tiefen Eindruck auf mich machte.
>
> Ambrose Bierce, «An Imperfect Conflagration»

Tiefer Eindruck *damals*! Da kann den Leser nur ein durch und durch zynischer Text erwarten; andernfalls wäre er aufs höchste irritiert und rasch verloren. Der Anfang, der den Leser fesseln soll, fesselt auf andere, noch intensivere Weise den Schreiber: Für beide ist der erste Satz eine unwiderrufliche Weichenstellung. Fausts Aufforderung «Bedenke wohl die erste Zeile» will auch unter diesem Aspekt beherzigt sein: Sie gibt die Tonart an, die der Schreiber durchzuhalten hat – nicht gerechnet, daß sie ihn dramaturgisch festlegt; eine andere Aussage im ersten Satz verändert unvermeidlich die Gliederung des Textes.

Regel 48: Schmunzeln machen

«Lampenfieber? Lampenfieber kenne ich nicht», so fing der amerikanische Festredner an. «Wirklich, die Lampen irritieren mich überhaupt nicht. Sie sind es, das Publikum, das mich in Panik versetzt.»

Dieser Redner hatte sich an die klassische angelsächsische Regel gehalten: Ein Vortrag soll mit einem Scherz beginnen, mit einem Scherz enden und maximal sieben Minuten dauern. Auch wenn er sich indessen über eine Stunde dehnen sollte – es bleibt eine vorzügliche Idee, mit einem Schmunzelstück, einem Witz, einer Anekdote, einer selbstironischen Untertreibung zu beginnen. Mit einer *feindosierten* Bosheit also, die man jedermann zumuten kann; anders als den Zynismus, mit dem die vorige Regel schloß.

Mit einer königlichen Idee wartete einst der Ghostwriter von Ronald Reagan auf. Als Auftakt einer Rede in Moskau legte er dem Präsidenten den Satz in den Mund:

> Ich halte mich an das, was Heinrich VIII. zu jeder seiner sechs Frauen sagte: «Ich werde Sie nicht sehr lange in Anspruch nehmen.»

Bei einem Vortrag oder einer Festrede den Saal zu verlassen ist auffällig und unüblich; insofern kann der Redner mit seinen ersten Sätzen nicht so viel verderben wie der Schreiber. Andererseits macht eben das Gefühl des Festgenageltseins die Hörer besonders dankbar für das einleitende Versprechen, daß sie sich vermutlich nicht langweilen werden.

Die ironische Sentenz

Eine kleine Bosheit gehört zum Besten, womit Redner wie Schreiber beginnen können (Geschäfts- und Bewerbungsbriefe einmal ausgenommen). Sie kann sich in der Form der *ironischen Sentenz* entfalten. Eines der gewichtigsten Werke der Sozialwissenschaft, Joseph

Schumpeters «Kapitalismus, Sozialismus und Demokratie», beginnt zur angenehmen Überraschung des Lesers, der auf so leichten Sinn an diesem Ort nicht gefaßt sein konnte, mit den Worten:

> Die meisten Schöpfungen des Verstandes oder der Phantasie entschwinden für ewig nach einer Frist, die zwischen einer Stunde nach dem Essen und einer Generation variieren kann.

Erfreulicherweise haben auch etliche Journalisten zur ironischen Sentenz ein herzliches Verhältnis:

> Der Mensch ist das einzige Lebewesen, das in der Lage ist, eine warme Mahlzeit im Fluge zu sich zu nehmen.
>
> VIVA

> Vor allem durch die dankenswerte Erfindung des hundert Kilometer langen Verkehrsstaus ist das Phänomen der Geisterfahrer auf der Autobahn stark zurückgegangen.
>
> ABENDZEITUNG

> Der Prophet des Untergangs ist ein fröhlicher Mann. Seine Seele ist geläutert, das Karma stimmt, und Zulauf hat er auch.
>
> SPIEGEL (über den «Öko-Prediger» Rudolf Bahro)

> Wer war Jesus? Die Vermutungen schwanken heftig zwischen den Eckwerten «Gottessohn» (der Papst) und «Menschensohn» (Rudolf Augstein).
>
> FAZ

Gelungene ironische Anfänge aus der SÜDDEUTSCHEN ZEITUNG und ihrem Magazin:

> Zu den wunderbaren Gaben des Menschen gehört die Kraft zum Überleben hygienischer Maßnahmen.
>
> Die Welt ist wieder etwas übersichtlicher geworden: 30000 Tier- und Pflanzenarten haben sich im vergangenen Jahr von unserem Planeten für immer verabschiedet.
>
> Wie grüßt der Bergwanderer? «Kein Problem», denken viele. Schon falsch.

Das «Streiflicht» der SÜDDEUTSCHEN ZEITUNG lebt mit der ironischen Sentenz in inniger Ehe:

> Wie so oft, wenn wir nach einer allumfassenden Erklärung für

> Unerhörtes suchen, greifen wir auch diesmal auf die in der bayerischen Staatsregierung versammelte Brillanz und Analysebegabung zurück.
>
> Die Geschichte des Menschen ist auch eine Geschichte des Haarausfalls.

Der satirische Einstieg

Ironie ist nicht an die Sentenz gebunden; auch die ersten Sätze von Reportagen und Romanen bieten sich ihr dankbar an – wie in Heines «Harzreise»:

> Die Stadt Göttingen, berühmt durch ihre Würste und Universität, gehört dem Könige von Hannover und enthält 999 Feuerstellen, diverse Kirchen, eine Entbindungsanstalt, eine Sternwarte, einen Karzer, eine Bibliothek und einen Ratskeller, wo das Bier sehr gut ist.

So beginnt Ossip Mandelstam seine Erzählung «Jüdisches Chaos»:

> Eines Tages erschien eine wildfremde Person bei uns, ein Mädchen von ungefähr vierzig Jahren, mit rotem Hut, spitzem Kinn und bösen schwarzen Augen. Sie berief sich auf ihre Herkunft aus dem Dorf Schawli und verlangte, daß wir sie in Petersburg verheirateten.

Seinen Bericht über den mysteriösen Tod des Zeitungszaren Robert Maxwell begann Gerd Kröncke in der SÜDDEUTSCHEN ZEITUNG mit den Worten:

> Das hätte ihm gefallen. Keine britische Zeitung versäumt an diesem Morgen, den Tod des Robert Maxwell ganz groß auf der ersten Seite zu melden. Der Tycoon... hatte einen starken Abgang.

Eine Reportage über einen Besuch im Kohlenbergwerk, tausend Meter unter der Erde, begann mit einer schönen Kombination aus Nasenreiz und Nasenstüber:

> Eigentlich riecht's hier unten besser als bei Karstadt.

Regel 49: Mit Unheil drohen

> Oft habe ich mich gefragt, woraus ein hot dog eigentlich besteht. Nun weiß ich es, aber lieber wüßte ich es nicht.

So begann eine Geschichte im NEW YORKER; und in ähnlichem Stil hieß eine Titelzeile des SZ-MAGAZINS:

> Ihre Straße wird schon wieder aufgerissen? Sie wollen wissen, warum? Wirklich? O Gott.

In beiden Fällen wird dem Leser schmunzelnd eine schlechte Nachricht angedroht, und das mögen die Leute, zumal wenn es ihnen dabei nicht an den Kragen geht und auch noch Ironie mitschwingt. Das entscheidende Stilmittel ist indessen das bloße In-Aussicht-Stellen. Das reizt mehr zum Weiterlesen als das Unglück selbst, ob es um aufgerissene Straßen oder um Mord und Totschlag geht.

Dieser psychologische Mechanismus bietet auch dem Schreiber einen Vorteil: Er vermindert sein Risiko, den Anfang zu überreizen. *Nur* dramatisch, mit zu vielen ironischen Glanzlichtern, mit Appetithäppchen am laufenden Band: Das würde dem Leser auf den Magen schlagen. (Doch ist dies für die Masse der Schreibenden ein eher theoretisches Problem: Die Praxis krankt daran, daß die meisten Bücher, Artikel, Briefe, Reden zu *wenig* Rücksicht auf das elementare Bedürfnis des Lesers nehmen, angeregt und mit leichter Hand geführt zu werden.)

Die kleine Hinterhältigkeit

Jedenfalls wäre es verfehlt, dieses Plädoyer für den attraktiven Einstieg gleichzusetzen mit der Aufforderung zum Marktgeschrei. Das allzu Laute und Grelle ist gar nicht attraktiv, gewiß nicht im Wiederholungsfall; stärker wirken die leisen Mittel, die kleinen Hinterhältigkeiten. So begann der STERN 1993 seinen Abgesang auf den «Schnellen Brüter»:

> Der Wind spielt mit Blättern, die keiner mehr wegfegt. Er treibt sie im Kreise auf einem Parkplatz, den keiner mehr nutzt. Er wirbelt sie eine Treppe empor, die allmählich von Unkraut überwuchert wird. Die Sonne streut ein mildes Licht auf jenes blau-weiß-gelbe Betongebirge, das einst die stolzeste Festung der deutschen Atomwirtschaft war: Kalkar.

Selbst das Schreckliche läßt sich halblaut erzählen. In einem Nebensatz zum Beispiel wie in diesen beiden kleinen Meisterstücken:

> Bevor sich Günter Schirmer das Leben nahm, war Großburgwedel nahe Hannover ein ganz normales Städtchen in diesem deutschen Herbst.
>
> SÜDDEUTSCHE ZEITUNG

> Aber wenn da nun ein Kind liegt, vielleicht zwei Jahre alt, ein Skelett, verhungert, und stirbt einem vor den Augen – kann man dann noch fragen, ob die ganze Hilfsaktion für Somalia überhaupt sinnvoll ist?
>
> FAZ

Der angedeutete Schrecken

Und das Schreckliche kann hinter einem Vorhang lauern, den der Autor im ersten Satz nur ein wenig lupft. Der unheilschwangere Einstieg ist vielleicht der dankbarste überhaupt. «Wir wissen bei den ersten Takten, daß das Schauspiel bedrohlich werden wird», sagt Ernst Jünger über Edgar Allan Poe, und so beginnt Poes «Verräterisches Herz»:

> Natürlich! Nervös, ganz schauerlich nervös war ich und bin ich! Doch warum wollt ihr mich wahnsinnig nennen? Die Krankheit hatte meine Sinne geschärft, nicht sie zerstört oder abgestumpft – vor allem das Gehör. Ich hörte alles im Himmel und auf Erden. Ich hörte vieles aus der Hölle. Wieso bin ich dann wahnsinnig? Horcht!

Die Irren und die Eingesperrten – ein wiederkehrendes Motiv, das uns zwischen Angst und Mitleid trifft:

Jemand mußte Josef K. verleumdet haben, denn ohne daß er etwas Böses getan hätte, wurde er eines Morgens verhaftet.

Franz Kafka, «Der Prozeß»

Zugegeben: Ich bin Insasse einer Heil- und Pflegeanstalt, mein Pfleger beobachtet mich, läßt mich kaum aus dem Auge; denn in der Tür ist ein Guckloch, und meines Pflegers Auge ist von jenem Braun, welches mich, den Blauäugigen, nicht durchschauen kann.

Günter Grass, «Die Blechtrommel»

Mir ist nicht geheuer, wenn ich geschlossene Türen sehe.

Joseph Heller, «Was geschah mit Slocum»

Eine Ahnung von Gewalt

Wir sind nun einmal so beschaffen, daß alles Bedrohliche uns gefangennimmt. Das läßt sich noch steigern – Gewalt liegt in der Luft bei Anfängen wie diesen:

Wir verließen Perekop in der gemeinsten Stimmung – hungrig wie die Wölfe und wütend auf die ganze Welt.

Maxim Gorki, «In der Steppe»

Er wußte, daß die Blicke der Knaben ihn umlauerten, daß jede Blöße, die er sich gab, sein Verderben sein konnte.

Hermann Ungar, «Die Klasse»

Er zerschnitt ihre Fotos.

Hubert Fichte, «Hotel garni»

Spannung kann auch dann in den ersten Worten knistern, wenn sie nicht einmal ahnen lassen, ob es Gewalt oder etwas ganz Unbekanntes ist, was da lauert:

Die dabeigewesen sind, die letzten, die ihn noch gesprochen haben, Bekannte durch Zufall, sagen, daß er an dem Abend nicht anders war als sonst, munter, nicht übermütig.

Max Frisch, «Mein Name sei Gantenbein»

> Es war ein verrückter, schwüler Sommer, der Sommer, als die Rosenbergs auf den Elektrischen Stuhl kamen, und ich wußte nicht, was ich in New York sollte.
>
> Sylvia Plath, «Die Glasglocke»

Bleibt die Art der Gefahr auch im dunkeln, so wird der Leser hier doch mit einer konkreten Situation konfrontiert. In den folgenden ersten Sätzen ist nicht einmal die erkennbar, und frösteln machen sie uns doch:

> Ich fühlte, daß es kommen würde.
>
> Jean Giono, «Der Berg der Stummen»

> Offen gesagt: Ich werde noch schlimmer enden, als ich angefangen habe.
>
> Louis-Ferdinand Céline,
> «Von einem Schloß zum andern»

Schließlich die königliche Kombination einer mäßig interessanten Szene mit dem Dräuen des Unheils – sicher für viele Reportagen ein geeignetes Modell:

> Es war jetzt Essenszeit, und sie saßen unter dem doppelten grünen Sonnendach des Speisezelts, als wäre nichts passiert.
>
> Hemingway, «Das kurze Glück
> im Leben des Francis Macomber»

Regel 50: Den Leser anreden

Die Sinne der Leser bedienen, sie zum Staunen oder Schmunzeln bringen, sie provozieren oder sie etwas Bedrohliches ahnen lassen – das waren die bisherigen Empfehlungen dafür, was an die Stelle der «Einleitung» treten sollte. Die Palette ist noch bunter; diese letzte Regel handelt von den Reizen der Sentenz, der kühnen Raffung und der direkten Hinwendung zum Leser.

Die Sentenz

Von der ironisch servierten Lebensweisheit war in Regel **48** die Rede. Für Kommentare und Essay gehört auch die ernst gemeinte Sentenz zur ersten Wahl. Berühmte Beispiele:

> Der Mensch ist frei geboren und liegt doch überall in Ketten.
>
> Rousseau, «Der Gesellschaftsvertrag»

> Es gibt Dinge, die man fünfzig Jahre weiß, und im einundfünfzigsten erstaunt man über die Schwere und Furchtbarkeit ihres Inhalts.
>
> Adalbert Stifter, «Die Sonnenfinsternis am 8. Juli 1842»

Noch mehr Spannung steckt in der Sentenz, wenn sie, obwohl ins Gewand des Kalenderspruchs gekleidet, einen Pferdefuß erkennen läßt:

> Ja, wir sind Landstreicher auf Erden.
>
> Hamsun, «Das letzte Kapitel»

> Jeder bekommt die Kindheit über den Kopf gestülpt wie einen Eimer.
>
> Heimito von Doderer, «Ein Mord, den jeder begeht»

Die große Pose

In den bisher zitierten Fällen umgibt sich der Autor zwar mit der Aura, Bescheid zu wissen über die letzten Dinge; er vermeidet es jedoch, Versprechungen über das eigene Werk zu machen. Wer so beginnt, unterliegt dem Risiko, unfreiwillig komisch zu wirken oder Hohngelächter hervorzurufen; man sollte die pompöse Eröffnung also in der Obhut kühner Geister lassen wie dieser:

> Diese Zeitschrift soll der erste Atemzug der deutschen Freiheit sein.
>
> Kleist (1809, im Entwurf für das erste Heft der «Germania»)

> Wie dieses Buch zu lesen sei, um möglicherweise verstanden werden zu können, habe ich hier anzugeben mir vorgesetzt.
>
> Schopenhauer, «Die Welt als Wille und Vorstellung»

> In diesem Buch wird zum erstenmal der Versuch gewagt, Geschichte vorauszubestimmen.
>
> Oswald Spengler, Der Untergang des Abendlandes»

Der kleine Ekel

Kann man mit dem Abstoßenden locken? Dostojewski eröffnet seine «Aufzeichnungen aus dem Kellerloch» mit den Worten:

> Ich bin ein kranker Mensch... bin ein boshafter Mensch... bin ein abstoßender Mensch.

Und T.E. Lawrence seine «Sieben Säulen der Weisheit» mit dem Satz:

> Mancherlei Abstoßendes in dem, was ich zu erzählen habe, mag durch die Verhältnisse bedingt gewesen sein.

Wenn eine Buchkritik in der FAZ mit noch drastischeren Worten einsetzt, so mag man rätseln, ob das Weiterlesen damit wahrscheinlicher oder unwahrscheinlicher geworden ist:

> Liegt es an mir, wenn mich ein Gefrierfach voll abgehackter Geschlechtsteile nicht amüsiert?

Die kühne Raffung

Hat ein Thema einen tiefen historischen Hintergrund, ob naheliegend oder unvermutet: So lohnt der Versuch, mit dem ersten Satz eine Brücke zu ihm zu schlagen.

> Die Erde war bewohnbar geworden und wurde bewohnt; die Völker waren geschieden und standen in mannigfaltigen Beziehungen untereinander; sie besaßen Anfänge der Kultur, lange bevor die Schrift erfunden war; und auf diese allein ist doch die Geschichte angewiesen.
>
> Leopold von Ranke, «Weltgeschichte»

> Jahrhundertelang haben Habsburg und Bourbon auf Dutzenden deutscher, italienischer, flandrischer Schlachtfelder um die Vorherrschaft Europas gerungen; endlich sind sie müde, alle beide.
>
> Stefan Zweig, «Marie Antoinette»

> Die erste Landverbindung zwischen Großbritannien und dem Kontinent seit der letzten Eiszeit vor mehr als 10000 Jahren ist am Freitag um ein entscheidendes Stück näher gerückt: Die Erbauer des Eurotunnels haben die Schlüssel an die Betreiber übergeben.
>
> International Herald Tribune

Die Ansprache an den Leser

Schließlich bleibt der alte Trick, sich beim Leser anzubiedern, ihm zuzuzwinkern, sich von ihm gleichsam über die Schulter schauen zu lassen. Die vornehme Form ist die indirekte – man scheint mit ihm zu plaudern, ohne ihn jedoch anzusprechen:

> Was die sich wohl zu erzählen haben? Wochenends ist John Major wieder oben im Norden gewesen, im schottischen Schloß Balmoral, als Gast seiner Queen.
>
> Süddeutsche Zeitung

Der Roman beginnt auf einem Bahnhof, eine Lokomotive faucht, Dampf aus den Kolben zischt über den Anfang des Kapitels, Rauch verhüllt einen Teil des ersten Absatzes.

Italo Calvino, «Wenn ein Reisender in einer Winternacht…»

Oder man macht ihn zum Zeugen des Ringens um die Gliederung des Stoffs:

Zu erzählen ist eine häßliche, verschlungene, lange Geschichte. Sie beginnt im Jahr 1956. Wann sie enden wird, weiß niemand.

Sie verbindet auf unangenehme Weise drei Menschen: Co Thi Ren, Lehrerin in der vietnamesischen Provinz Song Be, vor kurzem an Krebs erkrankt; Michael Landesman aus New York, früher Lieutenant der U. S. Army, jetzt an Krebs leidend; und Harri Garbrecht, Hamburg, ehemals Arbeiter in der T-Säure-Produktion von C. H. Boehringer Sohn, seit längerem besorgt über starke Halsschmerzen.

Drei US-Präsidenten sind in die Geschichte ebenso verwickelt wie 35000 amerikanische Kriegsveteranen und 1500 deutsche Arbeiter; vor allem aber sieben Chemie-Firmen aus zwei Ländern.

Die lange Geschichte streift die Karriere von Richard von Weizsäcker, in den sechziger Jahren Geschäftsführer des Chemie-Unternehmens C. H. Boehringer Sohn, seit 1984 Bundespräsident.

Zu erzählen ist die seltsame Karriere der giftigsten Chemikalie, die Menschen je geschaffen haben.

Cordt Schnibben im SPIEGEL

Das Wort *direkt* an den Leser zu richten ist demgegenüber entweder altertümlich oder der Stil der Boulevardzeitungen oder wiederum nur ironisch verwendbar. Goethes Bestseller von 1774 beginnt mit den Worten:

Was immer ich von der Geschichte des armen Werthers nur habe auffinden können, habe ich mit Fleiß gesammelt und lege es euch hier vor und weiß, daß ihr mir's danken werdet. Ihr könnt seinem Geist und seinem Charakter eure Bewunderung und Liebe und seinem Schicksale eure Tränen nicht versagen.

Doch, heute können wir. Gleich dreimal in einer Ausgabe lud die Zeitschrift CAPITAL ihre Leser ein, bestimmte Vorstellungen zu hegen – einmal per du, zweimal per Sie:

Stell dir vor, du hast eine Fahrradfabrik und jeder Chinese kauft ein Rad...

Stellen Sie sich ein Zirkuszelt vor: Trommelwirbel, ein einsamer Scheinwerfer strahlt in die Kuppel...

Stellen Sie sich vor, die Altenburger und Stralsunder Spielkartenfabrik, die Oberstdorfer Nebelhornbahn oder die Braunschweiger Mühle Rüningen würden sich auf der Suche nach billigem Geld nach Tokio begeben.

Nein, das stellen wir uns nicht vor. Solche Mittel sind nur genießbar im Mürbeteig der Ironie. Wie im «Streiflicht» der SÜDDEUTSCHEN ZEITUNG:

Bitte das Blatt nicht gleich widerwillig beiseite legen, wenn jetzt der Philosoph Kant erwähnt wird! Später wird es spannender: Auto, Tempolimit und so; auch kommen zwei Volljuristen vor, die als Teil-Leninisten entlarvt werden.

Heute wollen wir einmal eine bedeutende Aussage riskieren, obwohl uns – um die Wahrheit zu sagen – kein richtig bedeutender Gegenstand einfällt, auf den sich unsere Aussage beziehen könnte.

Mit einem Erdbeben anfangen

Das war viel Anfang. Es war die Einladung, die richtigen Konsequenzen aus der Einsicht zu ziehen, daß jeder Schreiber mit einem holzigen ersten Satz seinen einzigen Leser, vielleicht aber hunderttausend Leser verlieren kann. Wenn diese Einsicht da ist, bedarf es freilich noch der zweiten: Je süffiger der erste Satz, desto saurer die Arbeit, ihn zu formen. Die Mittel sind unbegrenzt.

Mit einem Erdbeben kann man anfangen «und dann ganz langsam

steigern», wie es einst der Hollywood-Tycoon Samuel Goldwyn von seinen Drehbuchautoren forderte. Man kann den Leser überrumpeln oder überlisten, ihm Hoffnung machen oder das Heil im Unheil suchen. Ob Dur oder Moll, Trommelwirbel oder Paukenschlag, Flötenklang oder Trompetenstoß – je nach seinem Stoff wird der Autor sich so oder so entscheiden, und legt er damit seinen Lesern die Schlinge um den Hals, so hat er recht.

Der beste Einstieg könnte sogar der sein, dessen Methodik in keiner dieser Regeln angeleuchtet worden ist, der ganz und gar neue und vielleicht nicht einmal rubrizierbare Anfang – wie im Feuilleton der FAZ:

> Der Kölner Dom wirkt auf Abdul wie eine Materialschlacht des christlichen Geistes gegen Andersgläubige.

Oder im «Streiflicht» der SÜDDEUTSCHEN ZEITUNG:

> In diesen grauen Tagen kommt viel zusammen. Die Bundesliga ist grippegeschwächt, Ministerpräsident Strauß wegen Hexenschuß nur begrenzt konfliktfähig...

Namen- und Sachregister

Kursiv gesetzt sind Wörter, die im Text analysiert oder kritisiert werden.

Bücher von Wolf Schneider

WÖRTER MACHEN LEUTE – Kritik der Sprache (Piper 1976, Rowohlt-TB 1979, Serie Piper 1986, 7. Auflage 1994)

DEUTSCH FÜR PROFIS – Handbuch der Journalistensprache (STERN-Buch 1982, 7. Auflage 1986, Goldmann-TB seit 1985)

UNSERE TÄGLICHE DESINFORMATION – Wie die Massenmedien uns in die Irre führen (STERN-Buch 1984, 5. Auflage 1992), zusammen mit fünf Absolventen der Hamburger Journalistenschule

DEUTSCH FÜR KENNER – Die neue Stilkunde (STERN-Buch 1987, 6. Auflage 1993)

DIE ÜBERSCHRIFT – Sachzwänge, Fallstricke, Versuchungen, Rezepte (List Journ. Praxis 1993), zusammen mit Detlef Esslinger

DER VIERSTÖCKIGE HAUSBESITZER – Plauderstunde Deutsch mit 33 Fragezeichen (Verlag der Neuen Zürcher Zeitung 1994)

DIE SIEGER – Wodurch Genies, Phantasten und Verbrecher berühmt geworden sind (STERN-Buch 1992, 4. Auflage 1993)